<u>dtv</u>

Sie ist eine der faszinierendsten und zugleich widersprüch-
lichsten mythischen Gestalten. Von Euripides wurde sie
als Kindsmörderin in die Literatur eingeführt, spätere
Jahrhunderte haben sie immer wieder um- und anders gedeutet: Medea. Heilerin, Priesterin, Liebende, Eifersüch-
tige, Verräterin, Intrigantin: Christa Wolf erzählt die
Geschichte – teilweise Quellen vor Euripides folgend – neu
und entwirft dabei das Porträt einer eigenwilligen, einer
ungewöhnlichen Frau »zwischen den Zeiten«. Ihre Medea
ist, wie in allen Überlieferungen, die Tochter des Königs
von Kolchis am Schwarzen Meer, dem östlichen Rand der
damals bekannten Welt. Sie findet die Verhältnisse in ihrer
Heimat unerträglich und flieht mit Jason, dem Argonauten, und einer kleinen Schar von Kolchern in das reiche
Korinth …

Christa Wolf wurde am 18. März 1929 als Tochter eines
Kaufmanns in Landsberg/Warthe geboren. Sie studierte in
Jena und Leipzig Germanistik, arbeitete als Verlagslekto-
rin und lebt heute als freie Schriftstellerin in Berlin. Ihr
umfangreiches erzählerisches und essayistisches Werk ist
mit zahlreichen nationalen und internationalen Preisen
ausgezeichnet worden.

Christa Wolf

Medea

Stimmen

Roman

Deutscher Taschenbuch Verlag

Ungekürzte Ausgabe
Januar 1998
6. Auflage April 2002
Deutscher Taschenbuch Verlag GmbH & Co. KG,
München
www.dtv.de
© 1996 Luchterhand Literaturverlag GmbH, München
Umschlagkonzept: Balk & Brumshagen
Umschlagbild: Marmorrelief (Kopie nach griech.
Original um 410 v. Chr., © Jürgen Liepe/BPK, Berlin)
Satz: IBV Satz- und Datentechnik GmbH, Berlin
Gesetzt aus der Sabon 10,5/12,75· (Linotron 202)
Druck und Bindung: Druckerei C. H. Beck, Nördlingen
Gedruckt auf säurefreiem, chlorfrei gebleichtem Papier
Printed in Germany · ISBN 3-423-12444-X

Achronie ist nicht das gleichgültige Nebenein-
ander, sondern eher ein Ineinander der Epochen nach dem Modell eines Stativs, eine
Flucht sich verjüngender Strukturen. Man
kann sie auseinanderziehen wie eine Ziehhar-
monika, dann ist es sehr weit von einem Ende
zum anderen, man kann sie aber auch ineinander stülpen wie die russischen Puppen, dann
sind die Wände der Zeiten einander ganz
nah. Die Leute aus den anderen Jahrhunderten
hören unser Grammophon plärren, und wir
sehen durch die Zeitwände hindurch, wie sie
die Hände heben zum lecker bereiteten Mahle.

Elisabeth Lenk

Die Stimmen

Medea	Kolcherin. Tochter des Königs Aietes und der Idya. Schwester der Chalkiope und des Absyrtos
Jason	Argonaut, Schiffsführer der »Argo«
Agameda	Kolcherin. Vormals Medeas Schülerin
Akamas	Korinther. Erster Astronom des Königs Kreon
Leukon	Korinther. Zweiter Astronom des Königs Kreon
Glauke	Korintherin. Tochter des Königs Kreon und der Merope

Andere Personen

Kreon	König von Korinth
Merope	Königin von Korinth
Iphinoe	ihre ermordete Tochter
Turon	Korinther. Gehilfe des Akamas
Lyssa	Kolcherin. Ziehschwester und Gefährtin der Medea
Arinna	Lyssas Tochter
Kirke	Zauberin. Schwester von Medeas Mutter
Presbon	Kolcher. Veranstalter der Spiele in Korinth
Telamon	Gefährte des Jason. Argonaut
Phrixos	aus Jolkos, brachte das Vlies nach Kolchis
Pelias	Onkel des Jason in Jolkos

Cheiron	Erzieher des Jason in den thessalischen Bergen
Meidos, Pheres	Söhne der Medea und des Jason
Oistros	Bildhauer, Medeas Geliebter
Arethusa	aus Kreta, Medeas Freundin
Der Alte	aus Kreta, Arethusas Geliebter und Freund

Wir sprechen einen Namen aus und treten, da die Wände durchlässig sind, in ihre Zeit ein, erwünschte Begegnung, ohne zu zögern erwidert sie aus der Zeittiefe heraus unseren Blick. Kindsmörderin? Zum erstenmal dieser Zweifel. Ein spöttisches Achselzucken, ein Wegwenden, sie braucht unseren Zweifel nicht mehr, nicht unser Bemühen, ihr gerecht zu werden, sie geht. Uns voran? Von uns zurück? Die Fragen haben unterwegs ihren Sinn verloren. Wir haben sie auf den Weg geschickt, aus der Tiefe der Zeit kommt sie uns entgegen, wir lassen uns zurückfallen, vorbei an den Zeitaltern, die, so scheint es, nicht so deutlich zu uns sprechen wie das ihre. Irgendwann müssen wir uns begegnen.

Lassen wir uns zu den Alten hinab, holen sie uns ein? Gleichviel. Es genügt ein Händereichen. Leichthin wechseln sie zu uns über, fremde Gäste, uns gleich. Wir besitzen den Schlüssel, der alle Epochen aufschließt, manchmal benutzen wir ihn schamlos, werfen einen eiligen Blick durch den Türspalt, erpicht auf schnellfertige Urteile, doch sollte es auch möglich sein, uns schrittweis zu nähern, mit Scheu vor dem Tabu, gewillt, den Toten ihr Geheimnis nicht ohne Not zu entreißen. Das Eingeständnis unserer Not, damit müßten wir anfangen.

Die Jahrtausende schmelzen unter starkem Druck. Soll also der Druck bleiben. Müßige Frage. Falsche Fragen ver-

unsichern die Gestalt, die sich aus dem Dunkel der Ver-
kennung lösen will. Wir müssen sie warnen. Unsere Ver-
kennung bildet ein geschlossenes System, nichts kann sie
widerlegen. Oder müssen wir uns in das Innerste unserer
Verkennung und Selbstverkennung hineinwagen, einfach
gehen, miteinander, hintereinander, das Geräusch der ein-
stürzenden Wände im Ohr. Neben uns, so hoffen wir, die
Gestalt mit dem magischen Namen, in der die Zeiten sich
treffen, schmerzhafter Vorgang. In der unsere Zeit uns
trifft. Die wilde Frau.

Jetzt hören wir Stimmen.

I

Alles, was ich begangen habe bis jetzt,
nenne ich Liebeswerk…
Medea bin ich jetzt,
gewachsen ist meine Natur durch Leiden.

Seneca, ›Medea‹

Medea

Auch tote Götter regieren. Auch Unglückselige bangen um ihr Glück. Traumsprache. Vergangenheitssprache. Hilft mir heraus, herauf aus dem Schacht, weg von dem Geklirr in meinem Kopf, warum höre ich das Klirren von Waffen, kämpfen sie denn, wer kämpft, Mutter, meine Kolcher, höre ich ihre Kampfspiele in unserem Innenhof, oder wo bin ich, wird denn das Geklirr immer lauter. Durst. Ich muß aufwachen. Ich muß die Augen öffnen. Der Becher neben dem Lager. Kühles Wasser löscht nicht nur den Durst, es stillt auch den Lärm in meinem Kopf, das kenn ich doch. Da hast du neben mir gesessen, Mutter, und wenn ich den Kopf drehte, so wie jetzt, sah ich die Fensteröffnung, wie hier, wo bin ich, da war doch kein Feigenbaum, da stand doch mein geliebter Nußbaum. Hast du gewußt, daß man sich nach einem Baum sehnen kann, Mutter, ich war ein Kind, fast ein Kind, ich hatte zum erstenmal geblutet, aber ich war doch nicht deswegen krank, du hast doch nicht deswegen bei mir gesessen und mir die Zeit vertrieben, den Kräuterumschlag auf Brust und Stirn gewechselt, mir meine Hände dicht vor die Augen gehalten und mir die Linien in den Handflächen gezeigt, zuerst die linke, dann die rechte, wie verschieden, du hast mich gelehrt, sie zu lesen, oft habe ich mich ihrer Botschaft entzogen, habe die Hände zu Fäusten geballt, habe sie ineinander verschlungen, habe sie auf Wunden gelegt, habe sie zu der Göttin aufgehoben, habe das Wasser vom Brunnen getragen, das Leinen mit unseren Mustern gewebt, habe sie in den warmen Haaren der Kinder vergraben. Einmal, Mutter, in einer anderen Zeit, habe ich mit meinen beiden Händen zum Abschied deinen Kopf umspannt, seine Form ist als Abdruck in meinen Handflächen geblieben, auch Hände haben ein Gedächtnis. Jeden Flecken von Jasons Körper haben diese Hände abgetastet, erst heute nacht, aber ist denn jetzt Morgen, und welcher Tag.

Ruhig. Ganz ruhig, eins nach dem anderen. Besinn dich. Wo bist du. Ich bin in Korinth. Der Feigenbaum vor der Fensteröffnung der Lehmhütte war mir ein Trost, als sie mich aus dem Palast des Königs Kreon wiesen. Warum? Das kommt später. Ist das Fest vorüber, oder muß ich noch hingehen, wie ich es Jason schließlich zugesagt habe. Du kannst mich jetzt nicht im Stich lassen, Medea, von diesem Fest hängt viel ab. Nicht für mich, habe ich ihm gesagt, und das weißt du auch, aber meinetwegen, ich komme, habe ich zu ihm gesagt, aber das ist das letzte Mal. Du hast mir damals jene winzige Linie in der linken Hand mit dem Fingernagel nachgezogen, du hast mir gesagt, was es bedeuten würde, wenn sie irgendwann einmal die Lebenslinie kreuzte, du hast mich gut gekannt, Mutter, lebst du noch.

Sieh her. Da kreuzt diese winzige Linie, die sich vertieft hat, die andere. Paß auf, hast du gesagt, Hochmut läßt dein Inneres erkalten, mag ja sein, aber Schmerz, Mutter, Schmerz hinterläßt auch eine wüste Spur. Wem sage ich das. Wie dunkel es auch gewesen ist, als wir an Bord der »Argo« gingen, deine Augen habe ich gesehen und nicht vergessen können, ihr Blick brannte mir ein Wort ein, das ich vorher nicht kannte: Schuld.

Jetzt klirrt es wieder, es ist das Fieber, aber mir ist doch, als hätte ich an dieser Tafel gesessen, nicht gerade neben Jason, war das gestern, bleib hier, Mutter, woher kommt diese Müdigkeit, ich will nur noch ein wenig schlafen, gleich steh ich auf, ich ziehe das weiße Kleid an, das ich selbst gewebt und genäht habe, wie du es mir beigebracht hast, dann gehen wir wieder gemeinsam durch die Gänge unseres Palastes, und ich werde froh sein, wie ich es als Kind gewesen bin, wenn du mich an die Hand genommen und auf den Innenhof geführt hast, zu dem Brunnen in der Mitte, weißt du, daß ich nirgendwo einen schöneren ange-troffen habe, und eine der Frauen zieht uns den Holzeimer hoch, und ich schöpfe das Quellwasser und trinke, trinke und werde gesund.

Es ist nämlich so: Entweder ich bin von Sinnen, oder ihre Stadt ist auf ein Verbrechen gegründet. Nein, glaub mir, ich bin ganz klar, mir ist ganz klar, was ich da sage oder denke, ich habe ja den Beweis gefunden, mit diesen Händen habe ich ihn betastet, ach, Hochmut ist es nicht, was mich jetzt bedroht. Ich bin ihr doch nachgegangen, der Frau, vielleicht wollte ich auch Jason eine Lehre ertei-len, der geduldet hatte, daß man mich an das Ende der Ta-fel zwischen die Dienstleute setzte, richtig, das habe ich nicht geträumt, das war gestern. Jedenfalls sind es die hö-heren Dienstleute, hat er kläglich gesagt, mach keinen Skandal, Medea, nur heute nicht, ich bitte dich, du weißt, was auf dem Spiel steht, das Ansehen des Königs vor all den ausländischen Gästen. Ach Jason, streng dich nicht an. Er hat noch nicht begriffen, daß König Kreon mich nicht mehr kränken kann, aber darum geht es jetzt nicht, ich muß meinen Kopf frei haben. Ich muß mir verspre-chen, daß ich mit keiner Menschenseele jemals über meine

Entdeckung reden werde, am liebsten würde ich es so machen, wie wir es als Kinder gemacht haben, Chalkiope und ich, weißt du das, Mutter, wir wickelten unser Geheimnis fest in ein Blatt ein und aßen es auf, indem wir uns unverwandt in die Augen blickten, unsere Kindheit, nein, das ganze Kolchis war voller dunkler Geheimnisse, und als ich hier ankam, als Flüchtling in König Kreons schimmernder Stadt Korinth, da dachte ich neidvoll: Diese hier haben keine Geheimnisse. Und das glauben sie auch selbst von sich, das macht sie so überzeugend, mit jedem Blick, mit jeder ihrer maßvollen Bewegungen schärfen sie dir ein: Es gibt einen Ort auf der Welt, da kann der Mensch glücklich sein, und spät erst ging mir auf, daß sie es dir sehr übelnehmen, wenn du ihnen ihr Glück bezweifelst. Aber darum geht es doch gar nicht, was ist nur mit meinem Kopf, daß er die Gedanken in ganzen Schwärmen losläßt, warum fällt es mir so schwer, den einen Gedanken aus dem Schwarm herauszufischen, den ich brauche.

Ich hatte das Glück, daß ich an der Tafel des Königs zwischen meinen Freund Leukon, den zweiten Astronomen des Königs, und Telamon zu sitzen kam, den kennst du auch, Mutter, es war derjenige der Argonauten, der zusammen mit Jason in unseren Palast kam, nachdem sie an der Küste von Kolchis gelandet waren, ich mußte mich also nicht langweilen beim Festmahl, denn Leukon ist ein kluger Mann, mit dem ich gerne rede, es ist eine Sympathie zwischen uns, und Telamon, ein wenig ungefüge, aber mir treu ergeben seit jenem ersten Nachmittag in Kolchis vor so vielen Jahren, die ich kaum zählen kann, er versucht, in meiner Gegenwart besonders witzig, auch besonders obszön zu sein, wir hatten zu lachen, und ich, entschlossen, den König von meinem minderen Platz aus zu strafen, legte das Benehmen einer Königstochter an den Tag, die ich allerdings auch bin, nicht wahr Mutter, die Tochter einer großen Königin. Es fiel mir nicht schwer, Aufmerksamkeit zu erregen und Respekt einzufordern, selbst von den fremden Gesandten aus Libyen und von den Inseln im Mittelmeer, Telamon spielte mit, wir brachten den armen Jason in die Klemme, hin- und hergerissen zwischen der Botmäßigkeit gegenüber einem König, von dem wir allerdings abhängen, und seiner Eifersucht, trank er mir verstohlen zu und beschwor mich mit Blicken, meinen Übermut nicht zu weit zu treiben, aber wenn der König zu einer seiner Tiraden ansetzte, mußte er an seinen Lippen hängen. An unserem Tischende war es lustig, jetzt fällt mir alles wieder ein. Wie die beiden Männer an meiner Seite sich um mich zu streiten begannen, wie Leukon, der große, schlanke, etwas ungelenke Mensch mit dem ovalen Schädel, der wohl Spaß versteht, selbst aber keinen Spaß machen kann, dem hühnenhaften, blondlockigen Telamon ernstlich meine Fähigkeiten als Heilerin anzupreisen begann, wie Telamon darauf lauthals von meinen körperlichen Vorzügen schwärmte, die braune Haut, sagte er, das Wollhaar, das wir Kolcher alle haben und das Jason gleich für mich eingenommen habe, ihn übrigens auch, aber was sei er schon gegen Jason, er wurde sentimental, wie die starken Männer es leicht werden, meine Glutaugen, sagte er, du kennst ihn ja, Mutter, immer, wenn ich ihn sehe, fällt mir ein, wie du, als er bei uns in der Tür stand, die Hand vor den Mund geschlagen und wie im Schreck Oi! gerufen hast, anerkennend, wenn ich nicht irre, und wie deine Augen dabei funkelten, und wie ich merkte, daß du noch keine alte Frau warst, und ich unwillkürlich an den sauertöpfischen, mißtrauischen Vater denken mußte. Ach,

Mutter. Ich bin keine junge Frau mehr, aber wild noch immer, das sagen die Korinther, für die ist eine Frau wild, wenn sie auf ihrem Kopf besteht. Die Frauen der Korinther kommen mir vor wie sorgfältig gezähmte Haustiere, sie starren mich an wie eine fremde Erscheinung, wir drei Vergnügten an unserem Tafelende zogen alle Blicke auf uns, all die neidvollen und empörten Blicke der Hofgesellschaft und die flehenden des armen Jason, nun ja.

Warum bin ich der Frau nachgegangen, der Königin, die ich, solange ich in dieser Stadt Korinth bin, kaum je zu Gesicht bekommen habe. Eingesponnen in ein dichtes Netz schauerlicher Gerüchte, zuverlässig verborgen hinter ihrer Unnahbarkeit, verbringt sie ihre Tage und Nächte im entlegensten, ältesten Teil des Palastes, in dickwandigen Kammern, die lichtarmen Höhlen gleichen sollen, eher eine Gefangene als eine Herrscherin, bedient und bewacht von zwei seltsam urtümlichen Weibern, die ihr aber auf ihre Weise treu ergeben sein sollen, ich glaube, sie kennt meinen Namen nicht, und ich hatte keinen Gedanken verschwendet an die unglückliche Königin eines Landes, das mir fremd geblieben ist und immer fremd bleiben wird. Wie mein Kopf mich schmerzt, Mutter, etwas in mir wehrt sich dagegen, noch einmal in diese Höhlen hinunterzusteigen, in die Unterwelt, in den Hades, wo gestorben und wiedergeboren wird seit alters her, wo aus dem Humus der Toten Lebendiges gebacken wird, zu den Müttern also, zur Todesgöttin, zurück. Aber was heißt da vorwärts, was zurück. Das Fieber steigt, ich mußte es tun. Ich habe diese Frau an Kreons Seite zum erstenmal gesehen, Mutter, mit jenem Zweiten Blick, den du an mir bemerkt hast. Ich wehrte mich bis zum äußersten, bei diesem jungen Priester in die Lehre zu gehen, lieber wurde ich krank. Jetzt erinnere ich mich, das war die Krankheit, während der du mir meine Handlinien zeigtest, der Priester hat später scheußliche Verbrechen begangen, er war nicht normal, da sagtest du, das Kind hat den Zweiten Blick. Er ist mir hier fast abhanden gekommen, manchmal denke ich, die krankhafte Furcht der Korinther vor dem, was sie meine Zauberkräfte nennen, hat mir diese Fähigkeit ausgetrieben. So erschrak ich, als ich die Königin Merope sah. Daß sie wortlos neben König Kreon saß, daß sie ihn zu hassen, er sie zu fürchten schien, das konnte jeder sehen, der Augen im Kopf hatte. Ich meine etwas anderes. Ich meine, daß es auf einmal ganz still wurde. Daß jenes Flimmern vor meinen Augen erschien, das dem Zweiten Gesicht vorausgeht. Daß ich in dem riesigen Saal mit dieser Frau allein war. Da sah ich sie, ihre Aura fast vollständig verdunkelt von unstillbarem Leid, so daß mich ein Entsetzen erfaßte und ich ihr nachgehen mußte, als sie, kaum war das Mahl beendet, aufstand und ohne ein erklärendes Wort, ohne einen Gruß wenigstens für die fremden Kaufleute und Gesandten, steif in ihrem golddurchwirkten Festkleid hinausging und den König zwang, ihre Ungehörigkeit zu überspielen durch schnelleres Reden, lauteres Lachen. Von Herzen gönnte ich ihm seine Niederlage. Er muß diese Frau gezwungen haben, all diesen neugierigen eitlen Leuten ihr zerstörtes Gesicht hinzuhalten, wie mich Jason dazu gebracht hat, ihnen eine Komödie vorzuspielen. Jetzt war es genug. Wir gingen, beide aus dem gleichen Grund: Stolz. Das habe ich nie vergessen, daß du mir einmal gesagt hast, wenn sie mich umbringen würden, meinen Stolz müßten sie noch extra erschlagen. So ist es geblieben, und so soll es bleiben, und es wäre gut für meinen armen Jason, wenn er das rechtzeitig erkennen würde.

Ich folgte der Frau. Der Gang, der zum Festsaal führt, wie oft bin ich ihn gegangen, als Jasons, des königlichen Neffen und Gastfreunds geachtete Frau, an seiner Seite, in Zeiten, die mir glücklich erschienen. Wie habe ich mich so täuschen können, aber nichts täuscht sicherer als Glück, und es gibt keinen Platz, der die Schärfe der Wahrnehmung so trübt wie der Platz im Gefolge des Königs. Merope war wie vom Erdboden verschluckt, es mußte einen Ausschlupf geben, ich suchte und fand ihn hinter Fellen versteckt, ich nahm eine der Fackeln aus ihrer Halterung und schlüpfte in den Gang, der bald so niedrig wurde, daß ich nur noch gebückt gehen konnte, oder habe ich das geträumt, das düstere Kellergewölbe, des Königs herrlicher lichter Palast als sein eigenes Gegenbild noch einmal in die Tiefe, ins Finstere gebaut. Die Steintreppen, Stockwerk um Stockwerk hinunter, das muß ich geträumt haben, aber die Kälte, die habe ich doch nicht geträumt, ich schlottere ja immer noch, und die Schärfe der Steine, die mir die Haut ritzten, woher sonst wären meine Arme so voller verschorfter Kratzer, und dann im letzten, tiefsten Grund, in jenem Keller, in dem sich sogar in diesem trokkenen Land Wasser sammelt, der Einstieg in das Höhlengewirr, zwei Stufen nehmen und dann bäuchlings hinein, und weiter kriechen, die Fackel schützend, die nur noch flackert, nicht mehr an Merope denken, die mir voraus sein mochte oder nicht, an nichts und niemanden mehr denken, weiter müssen, immer weiter, die Höhle, zu der der Gang sich schließlich erweiterte, war mir traumbekannt, oder woher wußte ich, daß hier der Weg sich gabelte, woher wußte ich, daß ich mich links zu halten hatte, daß bald meine Fackel erlöschen würde. Sie erlosch. Dann war der Gang so eng, daß ich rückwärts hätte kriechen müssen, um hinauszukommen, mußte also weiter, wissend, es könnte mein Verderben sein, immer wieder verirrt sich jemand in unterirdischen Höhlen und kommt darin um, will ich umkommen, die Frage hat mich gestreift, ich habe den Mund verzogen und bin weitergekrochen, dann leckte ich von den Wänden sickernde Feuchtigkeit, ein geschmackloses Naß, dann spürte ich, daß die Zusammensetzung der Luft sich veränderte, dann sträubte sich mir das Haar, noch ehe ich den Ton hörte. Dann hörte ich den Ton. Er hielt länger an, als ein Mensch Atem hat, ein kaum hörbares, doch durchdringendes Winseln, das konnte auch ein Tier sein, aber es war kein Tier.

Es war die Frau. Es war Merope. Ich wollte zurück, nur noch zurück, und schob mich Stück für Stück vorwärts. Der Ton brach ab, der Hammer in meiner Brust überdröhnte jeden anderen Laut, das tut er auch jetzt, hämmert bis in die Schläfen, dann sah ich, als meine Augen in der Finsternis die Richtung gefunden hatten, im matten Schein ihres Öllämpchens die Königin sitzen, steil aufgerichtet an die Felswand gelehnt, die Augen unverwandt auf einen gegenüberliegenden Punkt geheftet. Klatschnaß vor Schweiß war ich in dieser Eiseskälte, ich stank vor Grauen, das war mir noch nie passiert, in mir regte sich etwas, das ich unter Verschluß gehalten und fast vergessen hatte, etwas Lebendiges in dieser Totengruft. Das war kein Spiel mehr. Wie eitel war die ganze Aufführung an der Königstafel gewesen, wie eitel auch mein Gehabe. Weiß ich doch lange: In dem großen Getriebe spielt auch der seine Rolle, der es verhöhnt, zwar ließ ich mich kaum noch darauf ein, das ist wahr, aber trieb mich nicht doch eine Spur von Gefallsucht auf des Königs Fest, anstatt mich zu verweigern, wie Merope es tat, die mich bis hierher geführt hatte, ans Ende

der Unterwelt, wo mich nach dem Grauen die Panik über-
fiel, denn da kroch in unheimlicher Stille etwas heran, vor
dem ich mich verbergen mußte, aber da war kein Spalt,
keine Ritze im Fels. Was da heranschlich, hatte gelernt,
sich lautlos zu bewegen und nicht einmal einen Luftzug zu
verursachen, besser noch, als ich es kann, denn du hast mir
sehr früh diese Art der Bewegung beigebracht, Mutter, die
aus winzigen Nichtbewegungen besteht, und auch mit der
Mauer zu verschmelzen hast du mich gelehrt – ich brauche
das in meines Vaters Palast, sagtest du, ehe ich verstand,
warum –, ebenso wie das Atmen, das jeden Hauch zurück-
hält, der sonst von eines Menschen Körper ausgeht, es war
alles noch da, übernahm von selbst den Befehl und verhinderte, daß ich laut schlotterte vor dem Wesen, das, Schatten eines Schattens, sich zu der Frau heranschob, ihr ein
Wort zuflüsterte, ihr das verlöschende Lämpchen aus der
Hand nahm, worauf die sich hinter dem Weib, das ich nun
erahnte, herziehen ließ und beide, da die Höhle sich ver-
engte, auf die Knie hinunter mußten, eine Bewegung, die
ich ihnen unwillkürlich nachmachte. Ich ging in die Knie,
ob aus Schwäche oder aus Dankbarkeit gegen eine Gottheit, die mich noch einmal hatte davonkommen lassen.
Oder aus Todesfurcht.

Ich wartete, bis die Frauen außer Hörweite waren, dann
fing ich an, mich an den Wänden der Höhle entlangzuta-
sten. Ich mußte das Geheimnis dieser Königin kennen. In
vollkommener Finsternis fanden meine Fingerspitzen, wonach sie wohl gesucht hatten, Einkratzungen, die nicht die
Natur dem Stein zugefügt hat, Schabungen, mit Instru-
menten ausgeführt, die ich von Kolchis her kenne, Linien,
die ich verfolgen konnte, bis sie sich zu Zeichen zusam-
mensetzten, zu Figuren, die man hier in Korinth, das

wußte ich, in den Höhlengräbern hochgestellter Toter anbringt. Das kam meinem Verdacht entgegen, den ich noch nicht hätte ausdrücken können. An der Stelle, an der Merope gehockt hatte, ließ ich mich auf alle viere nieder und kroch hinüber zu der Wand, auf die die Königin gestarrt hatte, ertastete mit widerstrebenden Fingern die tiefe Einbuchtung im Stein und fand, wovor ich mich gefürchtet hatte, stieß einen Schrei aus, der in dem Höhlensystem widerhallte. Dann kehrte ich um. Ich hatte erfahren, was ich wissen wollte, versprach mir, es so schnell wie möglich zu vergessen, und kann seitdem an nichts anderes denken als an diesen schmalen kindlichen Totenschädel, diese feinknochigen Schulterblätter, diese zerbrechliche Wirbelsäule, ach.

Die Stadt ist auf eine Untat gegründet.

Wer dieses Geheimnis preisgibt, ist verloren. Den Schock habe ich zur Umkehr gebraucht. Weg von den spöttisch herabgezogenen Mundwinkeln an der Königstafel, das ist klar. Aber wohin. Da wüßtest auch du mir keinen Rat, Mutter, da kann ich meine Handlinien befragen, wie ich will, klare Linien, nun gut, aber was heißt das, heute und hier. Die Krankheit, wie sie mich auch durchschüttelt, will mir eine Atempause verschaffen, ich kenne den geheimen Sinn der Krankheiten, doch weiß ich ihn bei anderen besser zur Heilung zu nutzen als bei mir selbst. Halb willentlich überlasse ich mich dem Fieber, das steigt und mich auf einer heißen Woge wegspült, das mir Bilder zuträgt, Fetzen von Bildern, Gesichter.

Jason. Habe ich mich ihm verraten? Nein. Obwohl es einen Augenblick gab, einen flüchtigen, verführerischen Augenblick, aber ich schwieg. Doch, ja, ich schwieg. Jason wartete ja auf mich, das hatte ich nicht einberechnet, immer noch kenne ich ihn nicht ganz, habe versäumt, ihn ganz zu kennen, weil es mir nicht mehr wichtig war, gefährliche Bequemlichkeit. Anstatt alles daranzusetzen, jede seiner Regungen vorauszusehen, leistete ich mir den Luxus der Gleichgültigkeit, sonst hätte ich wissen können, daß jene Mischung aus Triumph und Demütigung, die er an der Festtafel des Königs erfahren hatte, seine Begierde so steigern mußte, daß nur ich sie stillen kann, keines der Mädchen im Palast, die ihm gerne zu Willen sind.

Erschöpft, schmutzig schleppte ich mich nach Hause, zu dem Lehmhäuschen, das mit dem Rücken an der Palastmauer klebt wie ein Vogelnest und von dem Feigenbaum überwölbt wird, in dessen lichtes Laub ich von meinem Lager aus sehe. Lyssas Blick warnte mich, ihre Lippenbewegung deutete mir an, wer hinter dem Türvorhang im Nebenraum auf mich wartete, Hände und Gesicht konnte ich mir rasch noch abspülen, ein sauberes Hemd statt des verdreckten zerrissenen Kleides überwerfen, ehe Jason nach mir rief. Mit nichts täuschen wir die Menschen mehr, als wenn wir unser gewöhnliches Verhalten an den Tag legen, also mußte ich Jasons Zeug, das er wie immer einfach hatte fallen lassen, wie immer beiseite schieben und meinen Fuß dabei unter dem langen, losen Hemd hervorstrecken, mit jener anmutigen Bewegung, die sich bewußt ist, daß Jason die Füße der Frauen mag, aber keine habe so schöne Füße wie ich, das sagte er wieder, und ich wollte Zeit gewinnen und fragte ihn, ob er sich erinnere, wann er meine Füße zum erstenmal in seine Hände genommen habe, und er, selbstgewiß, erwiderte: Dumme Frage. Komm. So spricht der Mann jetzt mit mir, es macht mir nichts mehr aus, daß er mich mit seinen anderen Frauen verwechselt. Ich sagte, zuerst solle er mir antworten. Bestimmte Dinge vergißt ein Mann doch nicht, sagte er und gab mir ein Beispiel seiner Fähigkeit zu vergessen.

In Kolchis sei es gewesen, an jenem Palisadenzaun hätten wir gesessen, der den inneren Palasthof gegen den äußeren abgrenzt, Nacht sei es gewesen, Vollmond, daran erinnere er sich genau. Du trugst ein Hemd wie dieses, sagte er, ich hatte eine so feine Weberei noch nie gesehen, hinter dem Zaun sangen die Wachen eure schrecklichen Gesänge, die einem aufs Gemüt schlagen. Jetzt erinnerte auch ich mich, auch mir griffen die langgezogenen schwermütigen Lieder unserer jungen Soldaten ans Herz, nicht aus dem gleichen Grund wie ihm. Du hast mir versprochen, sagte Jason, mir zu diesem verdammten Vlies zu verhelfen, das Sinn und Zweck unserer langen Reise war, und ich, nun ja, da du es wissen willst, ich nahm deinen Fuß in meine Hände. Komm jetzt.

Ich staunte, auch über mich. Er kann mir immer noch weh tun, Mutter, das muß aufhören. Dabei hätte mir klar sein müssen, daß auch er sich nur einen einzigen Grund dafür denken konnte, daß ich ihm gegen den eigenen Vater half: Ich mußte ihm, Jason, unrettbar verfallen sein. So sehen sie es alle, die Korinther sowieso; für die erklärt und entschuldigt die Liebe der Frauen zu einem Mann alles. Aber auch unsere Kolcher, die mit mir gegangen sind, haben in Jason und mir von Anfang an ein Paar gesehen, es will ihnen nicht in den Schädel, daß ich in meines Vaters Haus nicht mit einem Mann schlafen konnte, der ihn betrog. Mit meiner Hilfe betrog, Mutter, ja, ja doch, das war doch die Grausamkeit meiner Lage, die mich zerriß, daß ich keinen Schritt machen konnte, der nicht falsch war, keine Handlung, die nicht etwas, was mir teuer war, verriet. Ich weiß, wie die Kolcher mich nach meiner Flucht genannt haben müssen, dafür hat schon der Vater gesorgt: Verräterin. Das Wort brennt mich noch immer. Es brannte mich in jener Nacht auf der »Argo«, einer der ersten Nächte nach unserer Flucht, die Flotte der Kolcher, die uns verfolgte, hatte von uns abgelassen, ich hockte auf einer Taurolle an der Bordwand, es war Neumond, ein ungeheurer Sternenhimmel, weißt du noch, hätte ich Jason fragen können, wie von einer Hand gestreut fielen die Sternschnuppen ins Meer, die See war ruhig, leise schlugen die Wellen an die Bordwand, leise und regelmäßig ruderten die Argonauten, die Ruderdienst hatten, das Schiff schaukelte kaum, es war eine laue Nacht. Als du kamst, Jason, könnte ich ihm sagen, warst du ein dunkler Schatten gegen den Sternenhimmel, du hattest eine gute Stunde, du sagtest das Richtige im richtigen Ton, du tatest das Richtige auf die richtige Weise, du mildertest meinen Schmerz, den du nicht kanntest und den ich für unstillbar hielt. Du nahmst, wie um sie zu wärmen, meine Füße in deine Hände. ·

Unsinn, hätte Jason gesagt, so schwieg ich. Er sagte: Wir wollen nicht streiten, Medea. Nicht heute nacht. Komm. Die Stimme. Noch einmal das Signal, dem etwas in mir entspricht, noch einmal überließ ich ihm nicht nur meinen Fuß, jeden Flecken meines Körpers, auf den er zu antworten weiß wie kein Mann sonst. Zu antworten wußte, schien es. Jason? Langes Schweigen. Das kannte ich schon. Jetzt würde er Schuldige suchen. Das kommt, sagte er anklagend, weil du mich betrügst. Oder wohin bist du so schnell verschwunden bei dem Festmahl, mit wem hast du dich amüsiert. Darauf mußte ich nicht antworten, das machte ihn böse. Früher, sagte er, wäre dir das nicht passiert. Früher hast du mir Kraft gegeben, alle Kräfte, die ich brauchte. Was er sagte, war wahr, ich stand auf, tauchte

Gesicht und Arme in das Wasser, das ich am Morgen von der Quelle geholt hatte. Früher, sagte ich zu Jason, früher hast du an mich geglaubt. Und an dich.

Immer hast du ein Widerwort, sagte Jason, immer weißt du alles besser, wann wirst du zugeben, daß deine Zeit vorbei ist. Jetzt, sagte ich, selbst überrascht, jetzt gebe ich es zu, aber was nützt es dir. Da preßte er seinen Kopf zwischen seine Hände und gab ein Stöhnen von sich, das ich von ihm noch nicht gehört hatte. Denk doch nicht, sagte er, denk doch bloß nicht, mir macht es Spaß, wenn auch du nicht weiter weißt. Das war ein Eingeständnis, das ich von ihm nicht erwartet hätte. Ich setzte mich zu ihm aufs Lager, löste ihm die Hände von den Schläfen, strich ihm über Stirn, Wangen, Schultern, die verletzliche Mulde über seinen Schlüsselbeinen, komm, sagte er bittend, ich legte mich zu ihm, ich kenne seinen Körper, weiß seine Lust aufzustacheln, hinter geschlossenen Lidern überließ er sich seinen Phantasien, an denen er mich nie teilnehmen ließ. Ja, ja, ja, Medea, das ist es. Ihm gelang, was ich ihm wünschte, mit seinem ganzen Gewicht fiel er auf mich, grub sein Gesicht zwischen meine Brüste und weinte, lange. Nie vorher sah ich ihn weinen. Dann stand er auf, tauchte sein Gesicht in die Wasserschüssel auf der Truhe, schüttelte den Kopf wie ein Stier, der einen Schlag vor die Stirn bekommen hat, und ging, ohne sich noch einmal nach mir umzuwenden.

Dafür werde ich zahlen müssen. Immer muß die Frau dafür zahlen, wenn sie in Korinth einen Mann schwach sieht.

Und zu Hause? In Kolchis? Täusche ich mich selbst, wenn ich innerlich darauf bestehe, da ist es anders gewesen? Merkwürdig, wie ich mich neuerdings darin übe, die

Erinnerung an Kolchis wieder heraufzurufen, sie mit Farben aufzufüllen, als wollte ich dem Schwinden von Kolchis in mir nicht einfach zusehen. Oder als brauchte ich es, ich weiß noch nicht, wozu.

Ich ging zu Lyssa, sie schlief nicht. Nebenan, durch den Türvorhang, hörte ich den Atem der Kinder. Ich wünschte mir, Lyssa würde mich fragen, wo ich gewesen sei, aber sie fragt niemals. Unter allen Lebewesen ist sie diejenige, von der ich nicht einen Tag lang getrennt gewesen bin, sie, die am gleichen Tag Geborene, deren Mutter meine Amme war, sie, die die Amme meiner Kinder war. Sie, die alles mit angesehen, wahrscheinlich alles verstanden hat, oder war auch das eine Täuschung, wenn ich es für naturgegeben hielt, daß sie sich in jede meiner Regungen einfühlte, daß sie sie wahrnahm, oft vor mir selbst und auch dann, wenn ich sie vor mir verleugnen wollte. Lyssa, die ich manchmal neben mich auf mein Lager ziehe, um vertraut mit ihr zu sprechen, und die ich manchmal wegwünsche bis an den Rand der Welt. Aber der Rand der Welt ist Kolchis. Unser Kolchis an den Südhängen des wilden Kaukasus, dessen schroffe Berglinie in jede von uns eingeschrieben ist, wir wissen es voneinander, reden niemals darüber, Reden steigert das Heimweh ins nicht zu Ertragende. Aber das wußte ich doch, daß ich niemals aufhören würde, mich nach Kolchis zu sehnen, aber was heißt wissen, dieses nie nachlassende, immer nagende Weh läßt sich nicht vorauswissen, wir Kolcher lesen es uns gegenseitig von den Augen ab, wenn wir uns treffen, um unsere Lieder zu singen und den nachwachsenden Jungen unsere Götter- und Stammesgeschichten zu erzählen, die manche von ihnen nicht mehr hören wollen, weil ihnen daran liegt, für echte Korinther zu gelten. Auch ich vermeide es manchmal, zu diesen Treffen zu gehen, und immer öfter, scheint mir, laden sie mich nicht mehr dazu ein. Ach meine lieben Kolcher, auch sie verstehen es, mir weh zu tun. Und neuerdings versteht es auch Lyssa.

Zwar war sie wach geblieben, wie immer, wenn ich sie noch brauchen konnte, doch anders als sonst verweigerte sie mir das komplizenhafte Lächeln. Darum betteln würde ich nicht, ich tat, als merkte ich nichts, und begann mitten in der Nacht, sie und mich zu fragen, ob denn die Männer in Kolchis anders gewesen seien als die in Korinth, spröde ließ sie sich auf das Spiel ein, nach ihrer Erinnerung hätten die Männer in Kolchis ihren Gefühlen freien Lauf gelassen, sagte sie, ihr Vater zum Beispiel habe öffentlich und bitterlich geweint, als ihr Bruder verunglückt war, geheult und geschrien habe er, während man doch in Korinth bei einer Beerdigung keinen Mann weinen sehe. Das müßten die Frauen für die Männer mit erledigen. Dann schwieg sie. Ich wußte, woran sie dachte. Nie habe ich einen Mann wieder so weinen sehen wie jenen jungen Kolcher, der Lyssa liebte und dem sie zugetan war, den sie aber zurückließ, um mir auf die »Argo« und auf eine ungewisse Reise zu folgen. Arinna, ihre Tochter, hat sie unterwegs zur Welt gebracht, es gab danach keinen Mann in Lyssas Leben, und ich konnte nun nicht mehr umhin, mich nach dem Preis zu fragen, den Lyssa, den die anderen Kolcher, den wir alle dafür gezahlt haben, daß ich in Kolchis nicht mehr leben wollte und daß sie, geblendet durch den Ruf, den ich unter ihnen genoß, mir gefolgt sind. So muß ich es heute sehen.

Jason? Ach Jason. Ich ließ sie bei ihrer Meinung, er sei der Mann, dem ich bis ans Ende der Welt folgen würde, und kann ihnen nicht verübeln, daß sie unsere Trennung als schwere persönliche Kränkung nehmen. Schlimmer: als Beweis der Vergeblichkeit unserer Flucht. Während ich, so dachte ich auf Lyssas Lager, diesen Beweis heute mit meinen Händen abgetastet hatte, ein kindliches Skelett, vor aller Welt verborgen in einer Höhle. Da legte Lyssa ihre Hand in meinen Nacken. Die Gesten gibt es noch, sie bedeuten nicht mehr dasselbe. Wir können uns begütigen. Gut machen können wir nichts. Darauf ist es nicht angelegt, Mutter, ich beginne zu verstehen.

Was wollte ich gut machen, oder wiedergutmachen, als ich mir keinen anderen Rat mehr wußte, als mit Jason zu gehen. Als ich zuerst dir, Mutter, dann Lyssa anvertraute, was ich vorhatte, ihr beide mich stumm anhörtet, nach meinen Gründen nicht fragtet, Lyssa schließlich erklärte, sie käme mit mir. Jahre später erst habe ich von ihr wissen wollen, was in jenen Tagen und Nächten in Kolchis passierte, denn Lyssa ist es gewesen, die im geheimen jenen kleinen Trupp von Kolchern sammelte, der sich uns anschließen wollte. Sie durfte sich in keinem irren, auf jeden mußte Verlaß sein, ein unbedachtes oder verräterisches Wort über unseren Plan hätte zur Katastrophe geführt. Sie kannte unsere Landsleute genau, hatte sie lange beobachtet und wußte, wer die Verhältnisse ebenso unerträglich fand wie ich. Sie gingen nicht meinetwegen, nicht nur meinetwegen, das hat Lyssa mir oft versichert, als meine Kolcher, enttäuscht von den Ländern, in die ich sie, selbst getrieben, geführt hatte, anfingen, mir die Schuld am Verlust der Heimat zu geben, die ihnen nachträglich in ungetrübtem Glanz erstrahlt. Wie ich sie verstehe. Wie wütend ich oft auf sie bin.

Schon über die Umstände unserer Abfahrt aus Kolchis kamen bald unterschiedliche, sogar gegensätzliche Geschichten in Umlauf. Sicher ist, daß ich an Lyssas Lager trat, sie wachrüttelte: Komm, Lyssa, kommst du?, daß Lyssa aufstand, nach dem Bündel griff, das fertig geschnürt war, und mit mir aus dem Palast und hinunter zum Ufer schlich, wo bei ruhiger See, in fast vollständiger Finsternis, die »Argo« und die beiden anderen Schiffe lagen, die zur kolchischen Flotte gehörten, die Fluchtschiffe, zu denen die Frauen und Kinder, die mit uns kamen, durch das flache Wasser von den Männern getragen wurden. Schon auf der Überfahrt fingen einige der Männer an, die Höhe des Wassers zu übertreiben, überhaupt von einer höchst gefährlichen Abfahrt zu reden, von Dünung und unruhiger See, von ihrer Besonnenheit und ihrer Kühnheit, denen es zu verdanken war, daß alle Frauen und Kinder heil an Bord gekommen seien. Ihre Legenden werden ausufern, wenn unsere Lage sich weiter verschlechtert, und es wird nichts nützen, ihnen die Tatsachen entgegenzuhalten. Falls es noch etwas wie Tatsachen gibt, nach all den Jahren. Falls sie nicht, ausgehöhlt durch Heimweh und Demütigung und Enttäuschung und Armut, zu einer dünnen brüchigen Schale geworden sind, die von jedem, der es wirklich will, zerstört werden kann. Wer wird das wollen. Presbon?

Presbon in seiner unbezähmbaren Ichsucht, das könnte sein. Er war der einzige der Auswanderer, den nicht Lyssa selbst verständigt hatte, sie wirft es sich heute noch vor, daß sie das geduldet hat. Er ergriff die Gelegenheit, Kolchis den Rücken zu kehren und sein überschießendes Talent, sich selbst darzustellen, anderswo anzubieten, zum Beispiel hier im glänzenden Korinth, wo er sich unentbehrlich gemacht hat bei den großen Tempelspielen, deren kompliziertes Triebwerk er in Gang zu setzen weiß wie kein anderer und denen er durch die inspirierte Darstellung der großen Rollen Glanzlichter aufsetzt, die König Kreon ihm dankt. Keiner von den Kolchern hat es zu so hohen Ehren gebracht wie er, Presbon, Sohn einer Magd und eines Offiziers der Palastwache in Kolchis, der sich zuerst nicht zu schade war, hier in Korinth nach den großen Festen den Abfall von der Festwiese zu räumen. Wie er sich anstrengen mußte, daß man auf ihn aufmerksam wurde. Wie er unter der Erniedrigung litt. Wie er alle haßt, die ihn in seiner Schande gesehen haben und über die Verrenkungen spotteten, die er sich abverlangte, um aufzusteigen. Wie er mich haßt, weil ich seinen Wert nicht zu schätzen wußte. Nichts bleibt ohne Folgen, Mutter, darin hattest du recht.

War es Lyssa, die dir den Zeitpunkt unserer Flucht nannte? Wahrscheinlicher ist, du hast ihn selbst erraten. Aufmerksamer als du hat niemand die Ereignisse beobachtet, die das Auftauchen jener Fremden in Kolchis nach sich zog.

Dabei ließ sich alles ganz gut an. Unsympathisch waren sie unseren Kolchern nicht, Jason mit dem Pantherfell und seine etwas verwilderte Schar von Argonauten, die ja nicht roh waren, eher ein wenig täppisch, aber hilfsbereit, wenn es sich ergab, und neugierig. Und schmeichelhaft war es doch eigentlich, daß das Ziel ihrer gefahrvollen Meeresfahrt ausgerechnet unser Kolchis war, ein Land wie andere auch an dieser Schwarzmeerküste. Jedenfalls gab es keinen Grund, diese Seeleute, die in der Bucht unseres Flusses Phasis angelegt hatten, nicht gebührend als Gäste zu behandeln. Noch dazu, da Aietes, der König, der Vater, Jason und Telamon gleich nach ihrer Ankunft empfing und alle fünfzig Argonauten für den nächsten Abend in den Palast lud, zu einem Gastmahl, für das eine Menge Schafe ihr Leben lassen mußten und das in Ausgelassenheit und Verbrüderung endete.

Natürlich wollten später viele schon damals Unheil gewittert haben, aber was hätte unheimlich sein sollen an einem Festgelage, dessen Lärm zusammen mit dem Klang der Widderhörner aus dem Palast drang, denn der Wein, den wir an den Südhängen der Berge ziehen, schmeckte den Gästen.

Nein. Ich war als einzige voller böser Ahnungen, denn ich war in meines Vaters Argwohn gegenüber diesen Gästen eingeweiht. Die einzige außer dir, Mutter. Du brauchtest für deine bösen Ahnungen keinen neuen Grund. Du kanntest den König. Ich hatte es mit dem Vater in mir zu tun: Du verrätst mich nicht, meine Tochter. Ich wußte, Jason wollte das Vlies. Ich wußte, der König wollte es ihm nicht geben. Warum nicht, das fragte ich nicht. Ich müsse ihm helfen, diesen Mann unschädlich zu machen, um jeden Preis. Ich sah, wie hoch er den Preis ansetzte, zu hoch für uns alle. Mir blieb nichts übrig als Verrat.

Blieb mir nichts übrig? Wie doch die Jahre die Gründe auswaschen, derer ich mir so sicher war. Wie ich immer wieder die Abfolge der Ereignisse aufrief, die ich in meinem Gedächtnis befestigt habe als Schutzwall gegen die Zweifel, die jetzt, so spät, diesen Wall überschwemmen. Ein Wort hat ihnen die Bresche geschlagen: Vergeblichkeit. Seit ich die Knöchelchen dieses Kindes betastet habe, erinnern sich meine Hände an jene anderen Knöchelchen, die ich dem König, der uns verfolgte, von meinem Fluchtschiff aus zugeworfen habe, laut heulend, das weiß ich noch. Da ließ er von uns ab. Seitdem fürchteten mich die Argonauten. Auch Jason, den ich mit anderen Augen sah, seit ich ihn als Schiffsführer kennenlernte. Er war wie ein Blinder durch Kolchis gelaufen, hatte nichts verstanden, sich ganz in meine Hände gegeben, aber als er, das Vlies um die Schultern gelegt, sein Schiff betrat, wurde er ein anderer. Alles Täppische fiel von ihm ab, er straffte sich, seine Sorge um das Schicksal seiner Mannschaft hatte nichts Unmännliches, sein umsichtiges Verhalten bei der Einschiffung der Kolcher machte mir Eindruck. Da hörte ich zum erstenmal das Wort Flüchtlinge. Für die Argonauten waren wir Flüchtlinge, es gab mir einen Stich. Manche Empfindlichkeiten habe ich mir dann abgewöhnt.

Aber darum geht es jetzt nicht. Ich glaube, es ist meine Schwäche, Mutter, es ist die Augenblicksschwäche, daß ich diesen Gedanken heute ausgeliefert bin. Als du am Ufer standest, um mich zu verabschieden, gabst du mir zu verstehen, du billigtest, was ich tat. Ich hatte keine Wahl. Zu reden war nicht viel. Werde nicht wie ich, sagtest du, dann zogst du mich an dich mit einer Kraft, die ich lange nicht mehr bei dir gespürt hatte, wendetest dich ab und gingst die Uferböschung hinauf in Richtung auf den Palast, in dem der König und seine Dienstmänner tief und fest schliefen, nach dem Abschiedstrunk, den ich ihnen gemischt hatte und mit dem sie dem scheidenden Jason Bescheid getrunken hatten. Der mußte wach und nüchtern bleiben, um den Weg zum Hain des Ares wiederzufinden, den ich ihm bei Tage gezeigt hatte, um sich vorbeizuschleichen an den Wächtern, die, dafür hatte ich gesorgt, ebenfalls schliefen, und um endlich mit meiner Hilfe jene Tat zu vollbringen, deretwegen er nach Kolchis, an den östlichen Rand seiner Welt, gekommen war: von der Eiche des Kriegsgottes das Widderfell herunterzuholen, das sein Onkel Phrixos vor vielen Jahren auf der Flucht hierhergebracht hatte und das nun von den Seinen zurückgefordert wurde. Eine Art Mutprobe, so sah ich es damals, nicht eingeweiht in die verzwickte Familiengeschichte des armen Jason. Was war mir dieses Vlies, das erst später, als sie es genauer betrachtet hatten, von den Männern auf der »Argo« »Goldenes Vlies« genannt wurde: Dieses Fell war, wie die Felle vieler Widder in Kolchis, zur Goldgewinnung benutzt worden, indem man es im Frühjahr in eines der zu Tal stürzenden Gebirgswässer gelegt hatte, damit es den Goldstaub auffinge, der aus dem Berginnern herausgeschwemmt wurde. Genauestens haben die Argonauten mich nach dieser Methode befragt, die mir ganz gewöhnlich vorkam, sie aber in helle Aufregung versetzte: In Kolchis gab es Gold. Wirkliches Gold. Warum ich ihnen nicht früher davon erzählt hätte. Um wie vieles ertragreicher hätte ihr Unternehmen werden können.

Erst hier in Korinth habe ich sie verstanden. Korinth ist besessen von der Gier nach Gold. Kannst du dir vorstellen, Mutter, daß sie nicht nur Kultgerät und Schmuck, sondern gewöhnliche Gebrauchsgegenstände aus Gold herstellen, Teller, Schalen, Vasen, sogar Skulpturen, und daß man diese Gegenstände zu hohen Preisen rund um ihr Mittelmeer verkauft, selbst aber bereit ist, für unbearbeitetes Gold, für einfache Barren, Getreide, Rinder, Pferde, Waffen zu tauschen. Und was uns am meisten befremdete: Man mißt den Wert eines Bürgers von Korinth nach der Menge des Goldes, die er besitzt, und berechnet nach ihr die Abgaben, die er dem Palast zu leisten hat. Ganze Heerscharen von Beamten beschäftigen sich mit diesen Berechnungen, Korinth ist stolz auf diese Fachleute, und Akamas, der oberste Astronom und erste Berater des Königs, dem ich einmal mein Erstaunen über die Vielzahl dieser unnützen, aber arroganten Schreiber und Rechner offenbarte, belehrte mich über ihren eminenten Nutzen für die Einteilung der Korinther in verschiedene Schichten, die ja ein Land erst regierbar mache. Aber warum gerade Gold, fragte ich. Du solltest doch wissen, sagte Akamas, daß es unsere Wünsche und Begierden sind, die einem Stoff Wert, dem anderen Unwert verleihen. Der Vater unseres Königs Kreon war ein kluger Mann. Mit einem einzigen Verbot hat er das Gold in Korinth zum begehrten Objekt gemacht: mit dem Gesetz, daß Korinther, deren Abgaben an den Palast nicht eine bestimmte Höhe erreichten, keinen Goldschmuck tragen durften. Du bist auch ein kluger Mann, Akamas, sagte ich ihm. Deine Art Klugheit kam in Kolchis nicht vor. Weil sie bei euch nicht benötigt wurde, sagte er, wieder mit jenem Lächeln, das mich am Anfang verletzte. Und er hatte wohl recht.

Aber wohin verirre ich mich. Ich muß endlich aufstehen. Wenn ich richtig sehe, Mutter, fallen die Sonnenstrahlen schon senkrecht in den Feigenbaum, ist es möglich, sollte ich den Vormittag verlegen und verschlafen haben, das hat es noch nie gegeben. Es ist wegen der Höhle, ich komme nicht hoch, jemand müßte mir helfen, Lyssa müßte kommen, die Kinder. Da, jemand fühlt meine Stirn, eine Stimme sagt: Du bist krank, Medea.

Bist du das, Lyssa.

2

Gewaltig ist der Antrieb der Männer,
in Erinnerung zu bleiben
und sich einen unsterblichen Namen
auf ewige Zeiten zu erwerben.

Platon, ›Symposion‹

Jason

Das Weib wird mir zum Verhängnis. Als ob ich es nicht geahnt hätte. Medea wird mir zum Verhängnis, habe ich freimütig dem Akamas gesagt. Der hat mir nicht widersprochen, aber auch nicht zugestimmt, wie das seine verfluchte
Art ist. Immer dieses feine Lächeln, immer dieser hinter-
sinnige Augenausdruck, immer diese geschmeidige Rede-
weise, in der er mir weismachen will, mir könne doch so
leicht niemand mehr schaden. Was das nun wieder soll.
Klar hört er das Gras wachsen, der Herr oberster Astronom. Willst du dich über mich lustig machen, Akamas,
habe ich ihn angefahren, da hat er nur bekümmert den
Kopf geschüttelt, seinen großen hohlwangigen Kopf auf
seinem merkwürdig schiefen Körper, an dem kein Gelenk
zum andern passen will. Was für Anstrengungen er macht,
um stattlich zu wirken, so hat Medea sich ausgedrückt, als
sie ihm zum ersten Mal begegnet war, von Anfang an hat
sich ein unglückliches Verhältnis zwischen ihnen entwik-
kelt, sie wollte ihm einfach nicht entgegenkommen. Mir
schwant nichts Gutes.

Jetzt ist er ihr Feind. Ich weiß nicht, warum, irgend etwas muß mir entgangen sein, wie mir so vieles entgeht in
der Wirrnis dieses Königshauses, in dessen Gewohnheiten
ich mich schwer einfügen kann. So viele Länder, so viele
Städte hat meine »Argo« angelaufen, in so viele verschiedene Menschengesichter habe ich geblickt. Jetzt, nachdem

mein Schiff aufgedockt ist und meine Gefährten sich zerstreut haben, ist mir nur dieser Flecken geblieben, hier muß ich mich einrichten, hier muß auch Medea sich einrichten, verdammt. Als ob das so schwer zu begreifen wäre. Sie muß diesen Akamas gereizt haben, sonst würde er jetzt nicht diese alte Geschichte, die noch dazu unbewiesen ist, aufwärmen und an die große Glocke hängen. Daß ich im Ältestenrat stehe wie der letzte Dummbart und mich zu der Beschuldigung äußern muß, daß Medea damals ihren Bruder umgebracht haben soll. Ich war wie vor den Kopf geschlagen, konnte nur die Hände heben und beteuern, aber davon könne doch keine Rede sein. Also sei ich überzeugt, daß die, die sie beschuldigten, lügen?

Wohin war ich da geraten, wohinein hatte sie mich nun schon wieder verstrickt. Überzeugt, überzeugt. Wovon kann unsereins schon überzeugt sein bei diesen Weibern. Die Ältesten bewegten zustimmend die Köpfe. Anscheinend soll es nicht mir an den Kragen gehen. Aber ihr. Und sie ist meine Frau.

Wovon kann unsereins überzeugt sein, wenn diese Frauen sich einig sind, einen im dunkeln tappen zu lassen. Und das ist wörtlich zu nehmen. Es war ja stockdunkel, als Medea mit diesem Fellbündel im Arm an unserer Anlegestelle erschien, mehr hatte sie nicht bei sich, sie wiegte das Bündel fast wie ein Neugeborenes. Bis zuletzt hatte ich gezweifelt, daß sie kommen würde. Ich hatte doch gesehen, wie sie durch ihre Stadt ging, mit erhobenem Kopf. Wie die Leute sich um sie sammelten, sie grüßten. Wie sie mit ihnen sprach. Sie kannte jeden, eine Woge der Erwartung trug sie.

Ich sah sie aus dem Brunnen trinken, der im Hof ihres Palastes stand, ein verblüffendes Wunderding übrigens.

Wasser, Milch, Wein und Öl flossen aus seinen vier Röhren, die genau nach den Himmelsrichtungen ausgerichtet waren. So sah ich sie zuerst: über den Brunnen gebeugt, Wasser mit den Händen schöpfend und es in vollen Zügen trinkend. Ich kam mit dem zottelköpfigen Telamon, der vielleicht nicht der klügste, aber einer der heitersten und ausgeglichensten von meinen Argonauten ist, und mir treu ergeben. Darum ist er ja hier in meiner Nähe hängengeblieben. Es war hoher Nachmittag, brütende Hitze, die uns, an kühlende Seewinde gewöhnt, zu schaffen machte, und wir seit Stunden erst in diesem Land, auf das wir seit so vielen Wochen all unser Sinnen und Trachten gerichtet hatten. Was hatte es uns gekostet, uns bis hierher, an den Rand der Welt, durchzuschlagen, so manchen Gefährten hatten wir verloren, wie oft war der Trieb umzukehren übermächtig geworden, und nur die Scham voreinander und vor denen, die uns hämisch zu Hause empfangen würden, hatte uns bei der Stange gehalten. Und dieses Wunderland Kolchis stand uns vor Augen, in dem, so kam es uns vor, unser Schicksal beschlossen war.

Nun weiß man ja, daß auf äußerste Anspannung oft Erschlaffung folgt. So folgte bei uns nach dem Jubel, mit dem wir die endlich gefundene Einfahrt in ihren Fluß Phasis, die glückliche Landung in dieser natürlichen Bucht begleitet hatten, der Stimmungsumschwung. Das sollte das ersehnte Land sein. Der Fluß, die Ufer, das Gelände ringsum, eine mit lichtem Mischwald bestandene Hügellandschaft, kamen uns recht gewöhnlich vor, unterwegs hatten wir Eindrucksvolleres gesehen. Zwar hütete sich jeder, ein Wort darüber zu verlieren, doch las ich meinen Männern die Enttäuschung von den Augen ab. Dabei hatten, die auf der »Argo« zurückblieben, nicht wissen können, was uns bevorstand, als wir, Telamon und ich, loszogen, um den Palast des Königs Aietes zu suchen und diesem unbekannten König unsere Forderung zu unterbreiten.

Mein Nachruhm war mir mit dem Augenblick sicher, da ich meinen Fuß als erster auf diese östlichste, fremdeste Küste gesetzt hatte, das stärkte mich. Wir, die wir in ein barbarisches Land vorstießen, waren barbarischer Sitten gewärtig und hatten uns durch die Anrufung unserer Götter innerlich gefestigt. Aber bis heute kann ich den Schauder spüren, der mich ergriff, als wir das niedrige Weidengestrüpp am Ufer durchquert hatten und in einen Hain regelmäßig gepflanzter Bäume gerieten, an denen die entsetzlichsten Früchte hingen. Beutel aus Rinder-, Schaf-, Ziegenfellen umhüllten einen Inhalt, der an schadhaften Stellen nach außen trat: Menschliches Gebein, menschliche Mumien waren da aufgehängt und schwangen im leichten Wind, ein Grauen für jeden gesitteten Menschen, der seine Toten unter der Erde oder in Felsengräbern verschlossen hält. Der Schrecken fuhr uns in die Glieder. Wir mußten weiter.

Die Frau dann, die uns in dem weinumrankten Hof des Aietes entgegentrat, war das Gegenbild zu den schauerlichen Totenfrüchten, mag sein, das erhöhte den Eindruck, den sie auf uns machte. Wie sie da, in dem rotweißen Stufenrock, den sie alle tragen, dazu das anliegende schwarze Oberteil, heruntergebückt, mit zur Schale geformten Händen das Wasser aus dem Rohr auffing und trank. Wie sie, sich aufrichtend, uns bemerkte, die Hände ausschüttelte und unbefangen auf uns zukam, mit raschen, kräftigen Schritten, schlank, aber von ausgeprägter Figur, und so alle Vorzüge ihrer Erscheinung zur Geltung brachte, daß Telamon, unbeherrscht wie er ist, durch die Zähne pfiff und mir zuflüsterte: Das wär doch was für dich. Es war ihm nicht entgangen, daß ich für die Reize braunhäutiger dunkelhaariger Mädchen empfänglich bin. Aber dies hier, der arme Telamon war nicht imstande, es zu begreifen, war doch etwas anderes. Ein nie gekanntes Ziehen in allen meinen Gliedern, ein durch und durch zauberhaftes Gefühl, sie hat mich verzaubert, ist es mir durch die Sinne gegangen, und in der Tat, das hatte sie. Und das will sie weitertreiben, da hat Akamas recht. Daß ich mich hüten muß, immer wieder auf ihre Kunststücke hereinzufallen, denn natürlich wird sie mir über den Tod ihres armen Bruders eine ihrer Geschichten erzählen, die so überaus glaubhaft sind, solange sie einen mit ihrem Blick festhält, aber jetzt muß ich mich wappnen, daß ich nicht wieder auf sie hereinfalle.

Kurios war es schon, wie sie uns mit zum Friedenszeichen erhobenen Händen grüßte, ein Zeichen, das nur dem König oder seinem Abgesandten zukommt; wie sie freimütig ihren Namen nannte, Medea, Tochter des Königs Aietes und oberste Priesterin der Hekate; wie sie, als käme es ihr zu, unseren Namen und unser Anliegen zu wissen begehrte und ich, überrumpelt, dieser Frau offenbarte, was nur der König erfahren sollte. Und wie seltsam mein Herz sich gebärdete, als mein Name mir fremd wurde aus ihrem Mund. Viel später erst spielten wir mit der Magie unserer Namen, heute kommen all die alten Dinge wieder hoch, an die ich so lange nicht mehr gedacht habe. Wir lagen auf der »Argo«. Medea nannte mich beim Namen, als nehme sie mich zum erstenmal wahr, sie hielt mich in Armlänge auf Abstand und musterte mich auf eine Weise, die ich, weniger bezaubert, als ungehörig empfunden hätte, und sagte dann sehr ernst, beinahe feierlich, so als habe sie eben einen Entschluß gefaßt: Jason, ich esse dein Herz.

So war sie, dieses Gehabe. Ich habe das niemals jemandem erzählt, ungern macht man sich lächerlich. Aber in jener Nacht, unter diesem Sternenhimmel fand ich es, wie soll ich das nennen, ergreifend. Auch so ein Wort, Akamas würde die Mundwinkel herunterziehen. Als wenn nicht auch er ihr seinen Tribut entrichtet hätte. Auch er. Ich weiß nicht, wie weit das ging, auf solche Fragen, die mir schließlich zustehen, hat sie schon immer mit einem Hochziehen der Augenbrauen geantwortet, aber ich bin ja nicht blind, ich habe Blicke aufgefangen, von ihm zu ihr, Bewunderung, könnte man es nennen, oder Überraschung, aber bei einem Mann wie Akamas, der sich um nichts in der Welt Überraschung anmerken läßt, will das etwas heißen. Mag sein, daß meine Sinne, durch Eifersucht geschärft, für dergleichen besonders empfänglich sind. Übrigens hat sich Akamas' Verhältnis zu Medea verändert, seit sie die Hungersnot abgewendet hat, die Korinth nach der großen Dürre zweier Jahre drohte. Nicht durch Zauber. Das behaupten die Korinther. Aber sie verbreitete ihre Kenntnis der eßbaren Wildpflanzen, die unerschöpflich zu sein scheint, und sie lehrte, nein, zwang die Korinther, Pferdefleisch zu essen. Und sie zwang auch ihre Kolcher dazu und uns, die paar restlichen Argonauten. Bei mir fing sie an. Sie bereitete mir mitten in der Hungerzeit eine herrliche Mahlzeit und ließ sie mich essen, Auge in Auge mit ihr, sie bestätigte meine Ahnungen, sah ungerührt zu, wie es mich würgte, und brachte mich dann dazu, wie, weiß ich selbst nicht mehr, mich vor allem Volk als Pferdefleischesser zu bekennen. Die Strafe der Götter hatte mich nicht getroffen, das Volk schlachtete die Pferde, aß, überlebte und vergaß das der Medea nicht. Seitdem gilt sie als böse Frau, denn, sagt Akamas, die Leute wollen sich lieber für verhext halten, als sich selbst zu glauben, daß sie Unkraut fraßen und die Eingeweide unberührbarer Tiere verschlangen, aus gewöhnlichem Hunger. Medea sagt, wer die Leute zwinge, an ihr Heiliges zu rühren, mache sie sich zum Feind. Das ertragen sie nicht. So verleumden sie mich, sagt sie. Aber neue Speicher haben sie immer noch nicht gebaut.

Zu hoch für mich, all diese schwierigen verborgenen Zusammenhänge. Jedenfalls: Akamas wird Medea gegen die Beschuldigung, ihren Bruder getötet zu haben, nicht in Schutz nehmen. Seit dieser Hunger- und Pferdegeschichte sieht er sie als eine Bedrohung für sich an. Wenn einer, hat er die Mittel, den Verdacht zu schüren, ohne ihn direkt auszusprechen.

Und sie macht es einem auch nicht gerade leicht. Fast könnte man meinen, sie spiele mit der Gefahr. Wie sie schon geht. Herausfordernd, das ist das Wort. Die meisten Kolcherinnen gehen so. Es gefällt mir ja. Aber man kann doch die Frauen der Korinther auch verstehen, wenn sie sich beschweren: Wieso sollten Fremde, Flüchtlinge, in ihrer eigenen Stadt selbstbewußter gehen dürfen als sie selbst. Es kam zu Reibereien, ich sollte schlichten, Medea ließ mich abblitzen.

Aber wohin treibt es mich. – Das Vlies? fragte Medea überrascht. Aber wieso das Vlies. Da standen wir beim Brunnen, sie hatte uns, Telamon und mir, den ersten Becher Wein gereicht, und ich hatte zum ersten Mal die Funken in ihren graugrünen Augen gesehen, eine einzigartige Erscheinung. Man kann süchtig danach werden. Und sie, wenn sie die Wirkung bemerkt, kann auf ihre überlegene

Weise lächeln und die Augen niederschlagen, den Gefesselten freigeben, und bis heute scheint es ihr nichts auszumachen, daß mancher dieser Freigelassenen ihr diese Überlegenheit schwer verdenkt. Das Vlies. Da sollte ich ihr nun in diese Augen hinein erklären, warum ich ein starkes Schiff mit fünfzig Rudern und einem hohen Segelmast hatte bauen lassen, es mit den edelsten Söhnen meines Landes besetzt hatte und mit ihm durch unser vertrautes Mittelmeer, durch eine hochgefährliche Meerenge in das wilde bedrohliche Schwarze Meer gefahren war, hierher in das düstere Kolchis, wo die Toten an den Bäumen hingen, nur um ein simples Widderfell zu holen, das allerdings, das gab sie ohne weiteres zu, vor Jahren mein Onkel Phrixos, der auf der Flucht war, als Gastgeschenk hier abgeliefert hatte. Ja gut. Aber was brachte mich dazu, ein Gastgeschenk zurückzufordern. Mir war doch all die Tage der Reise ganz klar gewesen, wozu wir dieses Fell auf einmal so dringend in Jolkos benötigten, schließlich setzten wir all unsere Kräfte, ja unser Leben dafür ein, und nun, vor dieser Frau, fing ich an zu stottern, und all die hohen und zwingenden Gründe schrumpften auf die etwas klägliche Tatsache, daß meine Nachfolge auf den Thron von Jolkos an den Besitz dieses Vlieses geknüpft worden war. Sie, forschend, gab sich Mühe zu begreifen. Ach so, es gehe um den Herrschaftsstreit zwischen zwei Königshäusern. Ja. Nein. Nicht nur. Telamon, ungeschickt, sprang mir bei. Pelias, mein Onkel, der den Thron in Jolkos besetzt halte, habe geträumt. Wie schön für Pelias, sagte Medea, sie kann unangenehm nüchtern sein. Sie glaubte, mein Onkel Pelias wolle mich mit diesem gefährlichen Auftrag einfach außer Landes schaffen. Aber nein, nein. Jedenfalls nicht nur. Jetzt kam es darauf an, dieser Frau begreiflich zu machen, das Vlies war nicht nur ein Vorwand, sondern ein heiliger Gegenstand, auf den wir nicht verzichten konnten. Wieso, wollte sie wissen. Nun sollten wir die Aura eines heiligen Gegenstandes mit dürren Worten beschreiben. Wir zappelten uns ab, bis Telamon herausplatzte, das Vlies sei ein Symbol männlicher Fruchtbarkeit, worauf sie trocken bemerkte, dann sei es um die männliche Fruchtbarkeit in Jolkos wohl nicht zum besten bestellt. Ungern denke ich an die Beteuerungen, in die der arme Telamon sich verheddete und die sie endlich mit einer lässigen Handbewegung abbrach.

Sie saß auf dem hohen Roß, sie sagte, was immer dieses Vlies uns bedeuten mochte, sie glaube nicht, daß ihr Vater, der König, es ohne weiteres ausliefern werde. Ein bisher wenig geschätzter Besitz werde einem ja plötzlich kostbar, wenn ein anderer ihn begehre, nicht wahr. So trotteten wir verwirrt hinter ihr her in ihres Vaters Palast, der übrigens ganz aus Holz war, kunstvoll mit Schnitzereien verziert, gewiß, aber einen Palast würde man das bei uns nicht nennen. Trotzdem versäumten wir nicht, unsere Bewunderung auszudrücken, wie der Gastfreund es soll, und ich hatte zu tun, den Schwarm unliebsamer Gedanken einigermaßen zur Ruhe zu bringen, den sie in meinem Kopf aufgestört hatte. So geht es immer mit ihr, bis heute. Nichts hat den König Kreon und seine Umgebung so gegen sie aufgebracht wie der Gleichmut, mit dem sie kürzlich ihre Austreibung aus dem Palast von Korinth zur Kenntnis nahm, angeblich, wie der Leibarzt des Königshauses bezeugte, weil ihre Mittelchen und Tränke der uralten Mutter des Königs geschadet hätten, aber das glaubte sowieso keiner. Jetzt bringen sie schon andere Ausreden vor. Ich habe mir den Kopf darüber zerbrochen, warum man sie aus dem Weg haben wollte. Leukon behauptete, der Palast habe ihr stolzes spöttisches Wesen nicht mehr ertragen, aber reicht das aus? Jedenfalls packte sie beinahe erleichtert ihre Sachen, viel war es nicht, ich stand herum, sah ihr zu, sagte nichts, hatte nichts zu sagen, Lyssa machte nebenan die beiden Kinder fertig, dann standen sie vor mir, mit ihren Bündeln, so wie sie einst in diesen stolzen Palast eingezogen waren, mir wurde heiß, ich schluckte. Ich höre Medea noch fragen: Na, gehst du mit? Auf die Idee war ich noch gar nicht gekommen, und genau das hatte sie mir mit ihrer Frage zeigen wollen. Ich würde sie oft besuchen, muß ich wohl gesagt haben, sie und die Kinder, und sie lachte, nicht geringschätzig, eher nachsichtig, fand ich, und ließ die anderen vorgehen, stand dicht bei mir, legte ihre Hand auf meinen Nacken und sagte: Mach dir nichts draus, Jason. Es hat so kommen müssen.

Die Hand kann ich in meinem Nacken spüren, wann ich will, und was sie mir gesagt hat, ist mir oft ein Trost gewesen. Aber wem soll ich das erzählen. Telamon? Dem kann ich es seit langem nicht mehr recht machen. Der hat sich keine Frau genommen, begnügt sich mit Liebschaften. Ausgerechnet der hat es mir übel genommen, daß ich nicht mit Medea in dieses Vogelnest an der Palastmauer gezogen bin. Der macht Stimmung gegen mich in den Schenken, in denen er sich herumtreibt und das bißchen Geld vertrinkt, das ich ihm gebe, schließlich ist er einer der letzten Gefährten aus unserer großen Zeit. Es kommt vor, daß wir uns unverabredet im Schatten der »Argo« treffen, die in Hafennähe unter großen Feierlichkeiten aufgedockt wurde und jetzt von keinem Menschen mehr beachtet wird, was heißt, daß unsere Taten schon vergessen sind. Einmal habe ich Telamon in Tränen ertappt. Er trinkt, da wird man wehleidig. Akamas hat recht: Die Zeiten werden um so größer, je weiter man sich von ihnen entfernt, das ist normal, und es ist sinnlos, sich an die großen Zeiten zu klammern. Nur, woran soll man sich klammern. Medea? Mit ihr zugrunde gehen? Man könnte den Verstand verlieren.

Ohne sie wäre uns Kolchis verschlossen geblieben. Sie führte uns zu ihrem Vater, dem König Aietes, der empfing uns, überrumpelt, Medea stellte uns ihm förmlich vor und ging, obwohl er sie bat, in befehlendem Ton, sie solle bleiben. Sie ging. Er saß allein in der großen Halle aus Holz, die reich ausgestattet und mit Schnitzereien geschmückt war. Ein schmächtiger Mann, der den Thronsessel kaum ausfüllte, sein Gesicht war hager und bleich, umrahmt von krausem schwarzem Haar, ein Häufchen Unglück, sagte Telamon, als wir wieder draußen waren, mir fiel ein anderes Wort ein: brüchig. Die ganze Erscheinung war brüchig, wie die Stimme, mit der er uns willkommen hieß und sich geehrt zeigte über Gäste von so weit her, die ihm sicherlich kundtun würden, was sie zu ihm führte. Ich trug ihm, nicht anmaßend, doch bestimmt, meinen Auftrag vor, das Fell jenes Widders, das mein Onkel Phrixos nach Kolchis gebracht habe, mit seiner, des Aietes Erlaubnis, an seinen Ursprungsort zurückzubringen und dadurch die freundschaftlichen Beziehungen zwischen unseren beiden Ländern zu festigen und einen regulären Seeweg einzurichten.

Zuerst dachte ich, Aietes habe mich nicht verstanden. Ja, ja, der Phrixos, sagte er und kicherte, wobei er sich mit einer unpassenden Altmännergeste die Hand vor den Mund hielt, dann brachte er läppische Anekdoten vor, ziemlich peinliche Liebesgeschichten, die dem Onkel angeblich regelmäßig schiefgegangen waren. Er redete und redete, Mädchen brachten uns Wein und die schmackhaften Gerstenfladen, die ich mir heute noch von den Kolcherinnen hier backen lasse, keine kann es so gut wie Lyssa, dann entließ er uns plötzlich, ohne ein Wort über unser Anliegen verloren zu haben, und am nächsten Abend wurden wir wieder zu ihm beordert, in großer Formation diesmal, es gab einen förmlichen Empfang, als kennten wir uns noch nicht, ein anderer König saß da würdevoll in höfischer Kleidung auf dem Thron, umgeben von den Ältesten, neben mir an der Tafel die dunkle, verschlossene Medea und ihre Schwester Chalkiope mit ihrer braunen Haut, dem blonden starken Haarschopf und den stahlblauen Augen. Die Frauen der Kolcher können einen verwirren, dachte ich und fing an, mich behaglich zu fühlen, da kam der kalte Guß. Einer der Ältesten erhob sich, brachte eine Reihe unverbindlicher Floskeln vor und verkündete schließlich den Ratschluß des Königs. Er erlege mir bestimmte Proben auf, ehe man mir das Vlies überlassen wolle. Ich sollte die Stiere besiegen, die es bewachten, und ich sollte die ungeheure Schlange überwinden, unter deren Schutz das Vlies im Hain des Ares in der Krone einer Eiche aufgehängt war und die, soviel hatten meine Männer schon erfahren, von der Aura der Unbesiegbarkeit umgeben war.

Ich spürte Zorn in mir aufsteigen. Was sollte das. War das eine Falle. Sollte ich mich darauf einlassen. Ich suchte die Blicke meiner Männer, Ratlosigkeit bei allen. Am liebsten wäre ich aufgesprungen, hätte den Tisch umgekippt und wäre gegangen. Aber wir waren hoffnungslos in der Minderzahl.

Die Schlange. Immer noch träume ich von ihr. Das kolchische Ungeheuer, das sich in ungeheuerlicher Länge um den Stamm der Eiche windet, im Traum sehe ich sie so, wie meine Männer sie beschreiben: mit drei Köpfen, dick wie der Stamm der Eiche, feuerspeiend sowieso. Ich mische mich da nicht ein, ich mag in meiner Kampferregung nicht alles wahrgenommen haben, und die Korinther wollen hören, daß im wilden Osten auch die Tiere unbezwinglich und schauerlich sind, und es schaudert sie, wenn man ihnen sagt, daß die Kolcher Schlangen als Hausgötter an ihrer Herdstelle hielten und sie mit Milch und Honig fütterten. Wenn sie wüßten, die braven Korinther, daß diese Fremden auch hier nicht davon abgelassen haben, daß sie es heimlich weiter tun, das Schlangenhalten und Schlangenfüttern. Aber sie betreten ja nie die ärmlichen Behausungen der Fremden am Rand der Stadt, oder Medeas Wohnstätte, so wie ich es tue, wenn es mich doch immer wieder zu ihr treibt und mir aus der Asche von Lyssas Herdstelle ein Schlangenköpfchen mit den goldbraunen Augen entgegenblickt, bis Lyssa es durch leichtes Händeklatschen vertreibt. Sie wissen die Schlangen zu zähmen, das ist die Wahrheit, ich habe es mit meinen eigenen Augen gesehen. Habe gesehen, wie Medea sich an den Stamm jener mächtigen Eiche hockte, wie die Schlange sich zu ihr herunterbog und sie anzischte, wie Medea aber leise zu summen anfing, dann zu singen, eine Melodie, die das Untier still werden ließ, so daß Medea ihm den Saft frisch geschnittener Wacholderzweige auf die Augen träufeln konnte, den sie in einem Fläschchen bei sich trug und der den Drachen, oder soll ich sagen: die Drachin, einschläferte.

Viele Male habe ich es erzählen müssen, wie ich auf den Baum geklettert bin, wie ich das Vlies zu packen kriegte und mit ihm glücklich wieder herunterkam, und jedes Mal hat die Geschichte sich ein wenig verändert, so wie die

Zuhörer es von mir erwarteten, damit sie sich ordentlich fürchten und am Ende ordentlich erleichtert sein konnten. Es ist dahin gekommen, daß ich selbst nicht mehr genau weiß, was ich da in dem Hain, an der Eiche mit jener Schlange erlebt habe, aber das will ja sowieso keiner mehr hören. Sie sitzen abends an den Lagerfeuern und singen von Jason dem Drachentöter, manchmal komme ich vorbei, es schert sie nicht, ich glaube, sie wissen nicht einmal, daß ich es bin, den sie besingen. Einmal hörte Medea mit mir den Liedern zu. Am Ende sagte sie: Sie haben aus jedem von uns den gemacht, den sie brauchen. Aus dir den Heroen, und aus mir die böse Frau. So haben sie uns auseinandergetrieben.

Es war ein trauriger Augenblick. Und wenn ich an solche Augenblicke denke, dann will ich nicht glauben, daß sie ihren Bruder getötet hat, warum denn bloß. Und eine leise Stimme in mir sagt, die glauben es selber nicht, am wenigsten Akamas, aber ich bin mißtrauisch geworden gegen meine inneren Stimmen, man hat mir dargelegt, daß sie von Medea beeinflußt waren und, wer weiß, noch sind, sie hat Macht über Menschen, sie schläfert einen ein. Wenn sie einen lange genug angeblickt hat mit ihren goldfunkelnden Augen unter dem dicken Strich der zusammengewachsenen Augenbrauen, dann glaubt man, was sie einem einredet. Kreon selbst hat mich davor gewarnt.

König Kreon ist wie ein Vater zu mir, was sage ich, er ist besser als mein Vater zu mir. Mein Vater hat mich immerhin als Säugling weggegeben, mag ja sein, weil er mich den Nachstellungen meines Onkels, des Thronräubers Pelias, entziehen wollte, und ich will mich nicht über meine Kindheit beklagen; man lebte mit Cheiron als Erzieher in den Gebirgswäldern Thessaliens frei und zugleich mit allem

Wissen versorgt, das ein Mann von guter Familie braucht, ich weiß noch, wie Medea meine Kenntnisse in der Heilkunde beeindruckten. Das ist lange her. Irgendwann muß ein Mann sich entscheiden, was er will, und muß auch vergessen können, was er nicht mehr gebrauchen kann und was ihn nur belastet. So sprach mein Vater, der wollte auf den Thron zurück, das ist verständlich. Er war mir ein Fremder, als ich ihm zum erstenmal gegenübertrat, und die Frau an seiner Seite, die mich unter Tränen umarmte, mochte meine Mutter sein oder auch nicht. Sie war es, zweifellos. Übrigens eine plumpe Frau. Wie anmutig war Medeas Mutter Idya, wenn ich sie mit ihr vergleiche. Sehr schmal saß die neben dem König, aber nicht als sein Schatten. Schmal und fest. Und übrigens hoch geachtet. Wir fanden es eigentlich übertrieben, wie die Kolcher ihre Frauen hielten, als hinge von ihrer Meinung und ihrer Stimme etwas Wesentliches ab. Ich konnte sehen, daß Idya gar nicht einverstanden war mit den Bedingungen, die der König mir stellte, sie redete heftig auf ihn ein, er kroch in seinen Königsmantel und stellte sich taub. Wir mußten uns ja fragen: Sollten wir uns auf das Abenteuer einlassen, das, wie wir sehr wohl begriffen, gefährlich werden konnte, oder sollten wir einfach wieder abfahren, das Vlies, dieses dumme Fell, das mir schon über war, an seinem Ort belassen und uns zu Hause mit irgendeiner Geschichte herauswinden. Ich war nicht scharf darauf, als Leiche in den Ästen irgendeiner kolchischen Eiche zu hängen. Etwas Drittes schien es nicht zu geben.

Wir durchschauten die Verhältnisse in Kolchis nicht, in die wir hineingeraten waren, ausgerechnet an einem heiklen Punkt, wie wir allmählich zu spüren kriegten. Wir kannten nicht die kolchischen Frauen. Immer haben sie ihre Geheimnisse vor Fremden gehütet, so wie wir. Jetzt sage ich wir und meine die Korinther, hat also Kreon recht, wenn er sagt: Aber du gehörst doch zu uns, Jason, das sieht doch ein Blinder. Und man setzt doch die Kolcher nicht herab, das habe ich Medea klarzumachen versucht, wenn man feststellt, daß sie anders sind. Da hat sie aufgelacht in ihrer höhnischen Art, die mir mehr und mehr auf die Nerven geht, aber zugeben mußte sie mir, daß die Leute aus Kolchis sich hier in ihrem Stadtviertel zusammendrängen und an ihren Bräuchen festhalten und nur untereinander heiraten und also selber darauf bestehen, daß sie anders sind. Ihnen unterlegen, meinen die meisten Korinther, auch König Kreon. Aber ich bitte dich, Jason, letzten Endes sind es doch Wilde, sagte er neulich und legte mir seine Hand auf den Arm. Reizvolle Wilde, zugegeben, nur zu verständlich, daß wir diesen Reizen nicht immer widerstehen. Zeitweise. Er lächelte milde. Ich habe ein komisches Gefühl. Ich glaube, er will etwas Bestimmtes von mir. Medea sagt: Er klopft dich weich, mit sanften Schlägen, und dann fährt sie mir mit dem Handrücken über die Wange, leichthin, wie einem Knaben. Als rechne sie nicht mehr mit mir. Kreon rechnet mit mir. Womit ich rechne, das weiß ich nicht, und ich sehe niemanden, den ich fragen könnte. Am wenigsten meine alten Gefährten, die paar, die mir hierher gefolgt sind, weil sie kein Zuhause haben oder weil sie sich, wie ich, von einem kolchischen Mädchen nicht trennen konnten. Die hängen in den Hafenkneipen herum und fallen den Leuten auf die Nerven mit ihrem Selbstmitleid. Ich meide sie. Ja, einmal wußte man, wozu man auf der Welt ist, die Zeiten sind vorbei.

Jetzt will man sie vernehmen, höre ich. Oder jedenfalls befragen. Ob sie etwas über den Mord an Medeas Bruder

Absyrtos aussagen können. Ich bitte dich, Akamas, habe ich dem Mann vorgehalten, was sollen die sagen, und insgeheim dachte ich, was natürlich auch Akamas weiß, für einen Krug Wein werden sie alles sagen, was man von ihnen hören will. Will man also etwas Bestimmtes von ihnen hören? Aber das ist doch absurd. Man wird auch dich befragen, Jason, sagte Akamas.

Mir ist nicht wohl dabei, mir ist gar nicht wohl. Aber was weiß ich denn, was könnte ich denn sagen. Den Absyrtos habe ich gesehen, stimmt, er war ein schöner anmutiger Knabe mit einer schmalen kühnen Nase in dem dunkelhäutigen Gesicht und saß an der Festtafel links neben seinem Vater Aietes, der ihn andauernd liebkoste, das stieß mich ab, erinnere ich mich. Jedermann schien ihm zu schmeicheln, ein verwöhnter Junge, der sicher in seinem gepolsterten Nest saß, unsereins hat sich anders durchschlagen müssen, doch das waren nur flüchtige Empfindungen, verwunderlich, daß ich mich überhaupt an sie erinnere. Sicherlich hat das Unglück dieses Jungen meinen Eindruck von ihm gefestigt und mein vages Gefühl, daß von einem gewissen Augenblick an mein Schicksal mit dem seinen verknüpft war. Das Bindeglied war Medea. Zwei Tage nach unserem Empfang, zwei Tage, in denen ich nicht wußte, was tun, zwei Tage, in denen niemand sich um uns kümmerte, war die Stimmung im Palast plötzlich umgeschlagen. Ein Entsetzen schien alle erfaßt zu haben, stumm, verstört liefen sie durch die Gänge, niemand ließ sich ansprechen, bis ich auf Chalkiope traf, die, außer sich vor Trauer, auf dem Weg zu Medea war, zu der ich wollte, mir Rat holen. Ihr Name nämlich, hatten die Kolcher meinen Männern zugeflüstert, bedeute: die guten Rat Wissende. Nun denn, sollte sie diesem Namen Ehre machen.

Sie hockte in einer düsteren Kammer und schien nicht mehr dieselbe Frau zu sein. Sie hatte geweint, jetzt war sie reglos, steif, sehr bleich. Sie umklammerte mit den Händen ihre Arme, als müsse sie sich an sich selber festhalten. Nach einer langen Weile sagte sie mit lebloser Stimme: Du kommst zu ungünstiger Stunde, Jason. Und viel später, als frage sie sich selbst: Oder zu besonders günstiger. Ich traute mich nicht, eine Frage zu stellen. Ganz und gar überflüssig wurde ich, als die Königin hereinkam, Idya, rasend vor Zorn, gleich waren die Töchter an ihrer Seite, hielten sie, Chalkiope winkte mir, ich ging.

Absyrtos sei ermordet worden, hieß es. Der arme Knabe. Zerstückelt, hieß es gerüchteweise. Es schüttelte mich. Weg, nur weg. Wir trafen Vorbereitungen zur Abfahrt. Da ließ Medea mir sagen, sie wolle mich treffen. Abends, bei der »Argo«. Dann stand sie da und erklärte, sie werde mir helfen, das Vlies zu erringen. Ohne Begründung. Dann nannte sie mir jeden einzelnen Schritt, den ich zu tun hatte. Wie ich, scheinbar vom Vlies Abstand nehmend, scheinbar die Abfahrt vorbereitend, den König täuschen sollte. Wie ich zum Abschiedstrunk in den Palast kommen sollte. Wie sie dafür sorgen würde, daß weder die Wächter im Palast noch die am Hain des Ares mich stören würden. Warum ich die Schlange, von der ich inzwischen wahre Schauermärchen gehört hatte, nicht fürchten müsse, und so weiter. Den ganzen Ablauf in allen Einzelheiten. Und als wir fertig waren, mir schwirrte der Kopf, stand Medea auf und sagte, so kalt wie alles andere: Eine Bedingung: Du nimmst mich mit. Und ich, überrumpelt, voll widerstreitender Empfindungen, sagte einfach: Ja. Und nachdem ich das gesagt hatte, wußte ich, daß ich es wollte, und fühlte eine seltsame neugierige Freude und fragte mich, ob Medea jetzt von mir erwartete, daß ich sie umarmte oder sonst irgendeine bedeutsame Geste tat, aber sie hob nur die Hand zum Gruß und schlüpfte weg. So macht sie es bis heute. Was ihr wichtig ist, behandelt sie beiläufig.

Nur diese Totenfrüchte hat sie mir einmal ernsthaft erklärt – wir mußten uns öfter treffen, und sie merkte, wie mir vor diesem Hain schauderte –; daß bei den Kolchern nur die Frauen begraben würden; männliche Leichen würden in den Bäumen aufgehängt, wo die Vögel sie bis aufs Skelett säubern könnten, dann würden diese Skelette, nach Familien getrennt, in Felsenhöhlen aufbewahrt, es sei eine säuberliche und ehrfürchtige Methode, was mich daran störe. Mich störte so ziemlich alles daran, besonders aber der Gedanke, daß Vögel eine menschliche Leiche zerhacken und fressen wie irgendein Aas; der Tote, hielt ich ihr vor, müsse körperlich unversehrt in seinem Grab beerdigt oder in der Felsenhöhle eingemauert werden, um seinen Weg durch die Unterwelt anzutreten und im Jenseits ankommen zu können. Sie hielt dagegen, in den Toten sei die Seele nicht mehr, unbeschädigt sei sie entwichen und werde von den Kolchern an bestimmten dafür vorgesehenen Plätzen verehrt, und zur Wiedergeburt in einem anderen Körper füge die Göttin die zerstückelten Leiber der Toten zusammen. Das, sagte sie, sei der feste Glauben der Kolcher. Sie beobachtete mich aufmerksam, während sie sprach. Und käme es nicht darauf an, fragte sie am Ende, welchen Sinn man einer Handlung gebe? Der Gedanke war mir fremd, ich war sicher und bin es bis heute, daß es nur eine richtige Art gibt, seine Toten zu ehren, und viele falsche. Ich weiß übrigens nicht, warum sie mich dann fragte, ob es bei uns in den Ländern der untergehenden

Sonne Menschenopfer gebe. Aber nein, sagte ich entrüstet, sie legte den Kopf schief und sah mich forschend an. Nein? sagte sie. Auch nicht, wenn es hart auf hart kommt? Ich sagte immer noch nein, und sie meinte nachdenklich: So. Vielleicht stimmt es ja.

Und jetzt, nach so langer Zeit, hat sie unser Gespräch nicht vergessen, vorhin strich sie bei mir vorbei und fragte: Keine Menschenopfer, glaubst du das immer noch? Ach, mein Armer. Und kaum war sie außer Sicht, kam dieser Turon angestürzt, ein eilfertiger Widerling, den sich Akamas herangezogen hat, und wollte wissen, was Medea mir gesagt habe. Was ist bloß los. Dieser Nebel, in dem sie mich herumtappen lassen, wird mich noch wünschen lassen, ich hätte Medea nie gekannt oder sie und die Ihren wenigstens in Kolchis zurückgelassen. Ja. Auch wenn der Gedanke mich erschreckt. Dabei weiß ich, ohne sie wäre keiner von uns aus Kolchis weggekommen.

Jetzt überfällt mich das Bild wieder, das ich all die Jahre unter der Oberfläche gehalten habe. Das grausamste und unwiderstehlichste Bild, das ich von ihr habe. Medea als Opferpriesterin vor dem Altar einer uralten Göttin ihres Volkes, in ein Stierfell gehüllt, eine aus Stierhoden gefertigte phrygische Mütze auf dem Kopf, Zeichen der Priesterin, die das Recht hat, Schlachtopfer zu vollziehen. Und das tat Medea. Sie schwang am Altar das Messer über den geschmückten Jungstier und schlitzte ihm die Halsschlagader auf, daß er in die Knie brach und verblutete. Die Weiber aber fingen das Blut auf und tranken davon, und Medea als erste, und mir schauderte vor ihr, und ich konnte den Blick nicht von ihr wenden, und ich bin sicher, sie wollte, daß ich sie so sah, schrecklich und schön, ich begehrte sie, wie ich noch nie eine Frau begehrt hatte, ich hatte nicht gewußt, daß es dieses Begehren gibt, das dich zerreißt, und ich floh, als die Weiber im Blutrausch zu stampfen anfingen und gräßlich zu tanzen, und ich wußte, ohne diese Frau konnte ich nicht mehr weg. Ich mußte sie haben.

Ich tat alles, was sie mir befahl. Ich ließ mir, um die Stiere zu besiegen, diese entsetzliche Mütze überstülpen, sie enthalte einen Zauber und mache mich unsichtbar, ich ließ mich von ihrer wilden Trommelmusik antreiben, die mir in die Glieder fuhr und mich toll machte, ich kannte mich nicht mehr, ich fuhr unter die Stiere und schlachtete sie ab, ich war außer mir und wollte außer mir sein. Ich täuschte den König und trank ihm zum Abschied zu, ehe er und seine Wächter in Schlaf sanken. Ich ließ mich von Kopf bis Fuß mit ihrer Salbe bestreichen, das sei ein Schutz gegen das Schlangengift. Ich hätte ihr alles geglaubt. Was dann mit mir geschah, weiß ich nicht. Es war grauenhaft, das weiß ich sicher. Mein Bewußtsein verließ mich.

Als ich aufwachte, war ich elend und sterbenskrank, und sie hockte neben mir, Medea, es war Nacht, um uns Wald, sie rührte in einem Kessel, der auf drei Beinen über einer Feuerstelle stand, das flackernde Licht ließ sie uralt erscheinen. Ich konnte nicht sprechen. Ich war im Rachen des Todes gewesen, sein Atem hatte mich gestreift, ein Teil von mir war noch in dieser anderen Welt, vor der wir uns mit Recht fürchten. Ohne sie, ohne Medea, wäre ich zugrunde gegangen. Ich muß etwas gestammelt haben wie: Hol mich da raus, Medea, und sie sagte nur: Ja, ja. Sie schöpfte eine Kelle von dem Sud, den sie zusammengebraut hatte, und hieß mich trinken. Es schmeckte widerwärtig und rann mir glühend durch die Adern. Medea legte ihre Hand lange auf meine Brust und erzeugte damit einen Wirbel in mir, der mir das Leben zurückgab. Es ist das Wundersamste, was ich je erlebt habe, dies sollte nie aufhören. Irgendwann murmelte ich, du bist eine Zauberin, Medea, und sie, unverwundert, sagte einfach: Ja. Verjüngt und kraftvoll erhob ich mich von diesem Lager. Ich hatte kein Gefühl für die Zeit, die vergangen war. Seit dieser Stunde verstand ich die Ehrfurcht und das Ansehen, die Medea unter ihren Kolchern genoß.

Und den Akamas versteh ich auch, und die Leute von Korinth, daß sie sie loswerden wollen. Loswerden? Woher kommt mir dieses böse Wort, ein Unsinn, ich muß ihn vergessen. Vorhin, als Akamas mit seiner spitzfindigen Beobachtungsgabe mir ansah, wie ich zwischen meiner Anhänglichkeit an Medea und meiner Pflicht, auch Lust, dem König Kreon zu Diensten zu sein, hin- und hergeworfen wurde, und als er mir dann den niederträchtigen Rat gab, doch einfach mal zu meinen Argonauten in die Kneipen oder zu einer dieser Huren zu gehen, um mich zu entspannen, da wäre ich ihm vor Wut fast an die Kehle gegangen, mitten auf dem Marktplatz von Korinth. Und er? Was sagte er? Auch gut, sagte er ungerührt. Tob dich aus, Jason. Ich drehte mich um und ließ ihn stehen. Da läuft etwas schief, ganz schief, und ich kann es nicht aufhalten.

Wenn sie nicht so hochmütig wäre. Schließlich war sie die Flüchtige, angewiesen auf mich. Und als mein Plan, mit Hilfe des Goldenen Vlieses die Königswürde in meiner Heimat Jolkos meinem Vater wieder zuzuschanzen, gescheitert war; als auch ich fliehen mußte, da waren wir alle angewiesen auf die Gnade des Königs Kreon. Das habe ich ihr immer wieder sagen müssen. Und sie? Ich bin nicht von Kolchis weg, um mich hier zu ducken, solche Reden führt sie und bindet ihren wilden Haarbusch nicht ein, wie die

Frauen von Korinth es nach der Hochzeit tun, und sagt noch: Na und? findest du mich nicht schöner so? Die Unverschämte. Weiß ganz genau, was ich schön, wen ich am schönsten finde. Und läuft durch die Straßen wie ein Ungewitter und schreit, wenn sie zornig ist, und lacht laut, wenn sie froh ist. Jetzt merke ich, ich habe sie lange nicht mehr lachen hören. Aber eines hat sie sich nicht nehmen lassen, mit ihrem Holzkästchen und der weißen Binde um die Stirn durch die Stadt zu laufen, zum Zeichen, daß sie als Heilerin unterwegs war und in ihrer Sammlung nicht gestört werden wollte, und jedermann hat sie respektiert, und die Familien, in denen sie einem Kranken geholfen hat, verbreiteten ihr Lob. Es wurde Mode in Korinth, sich an sie zu wenden und nicht an die Astrologen oder an die Ärzte aus der Schule des Akamas. Diese Unglückselige wurde so übermütig, daß sie einem Beamten des Königs gegenüber, dessen Sohn sie von unerträglichen Kopfschmerzen befreit hatte, die Heilkunst dieser würdigen Männer bündig »faulen Zauber« nannte – ein Wort, das dieser Mann pflichtschuldigst im Palast verbreitete. Danach hatten wir unseren ersten heftigen Streit. Paß auf, was du sagst! schrie ich sie an, und sie, mit dieser aufreizenden Ruhe, erwiderte, das habe sie gerade mir empfehlen wollen; ich sagte: Die sind dir über, und sie: Das werden wir sehen. Hör mal, sagte sie noch, du hast es selber schon mal besser gewußt. Was hat dich denn dein Cheiron gelehrt? Diese albernen Kunststücke, mit denen sie die Leute übers Ohr hauen? Es war merkwürdig. Was Cheiron mich gelehrt hatte, die gute Heilkunst, die Medea ausübt, ich begann, sie zu vergessen. Sie nützt mir hier nichts. Hier muß ich Bescheid wissen über die Vorgänge im Palast, das ist lebenswichtig für uns, sie will es nicht begreifen.

Natürlich waren sie ihr über. Sie mußte unsere gemeinsame Wohnung in einem Nebenflügel des Palasts räumen. Das richte sich nicht gegen mich, erklärte man mir. Aber jemanden, der womöglich eine krankmachende Ausstrahlung habe, solle man doch wohl aus der Nähe der königlichen Familie entfernen. Wenn sie heuchelten und logen und falsche Gründe vorschoben, nur um sie aus dem Palast zu kriegen, dann mußte es ihnen ernst sein. Natürlich wartete sie darauf, daß ich sie verteidigte. Oder daß ich mit ihr ging. Aber wie kann man jemanden gegen vorgeschobene Beschuldigungen verteidigen. Und wäre ich mit ihr gegangen, hätte ich unsere Lage doch nur verschlimmert.

Sie ging. Man gab ihr zwei von den Leuten des Akamas zur Seite, die verhindern sollten, daß sie den Palast verfluchte. Als ich Akamas daraufhin zur Rede stellte, brach er in schallendes Gelächter aus. O diese schlichten Gemüter, rief er, aufs höchste amüsiert. Als ob eine Medea nicht ohne Worte und an jedem Wächter vorbei verfluchen könnte, was und wen sie wolle.

Ich besuchte Medea in ihrer Lehmhütte zuerst regelmäßig. Gewiß, es war nicht mehr dasselbe zwischen uns, aber das ist normal, das sehe ich überall ringsum. Kreon zog mich näher an sich heran, alle möglichen Pflichten und Dienste wurden mir auferlegt, darunter glanzvolle, die die Person erhöhen. Das Vlies liegt unter vielen anderen Opfergaben am Altar des Zeus und vermodert. Meine Aussichten in Korinth sind nicht schlecht, ich mache mir da meine eigenen Gedanken. Akamas machte eine Andeutung. Alles könnte ganz gut laufen, wenn sie nicht diese alte Sache ausgegraben hätten. Medea habe ihren Bruder getötet. Na und wenn? Wem schadet das heute noch. Aber es scheint vielen zu nützen, allzu vielen, ich kann es mir nicht verhehlen.

Was soll ich bloß tun. Nur sie, Medea, könnte mir raten. Verrückter Gedanke.

3

Kreon:
Und sind Frauen auch nicht zum Guten geschickt,
sind sie doch Meisterinnen des Bösen.

Euripides, ›Medea‹

Agameda

Ich habe es geschafft. Ich habe sie blaß werden sehen. Die richtigen Worte kamen mir unverhofft, aber so viele Monate hat mein Haß an ihnen gearbeitet, im richtigen Augenblick waren sie fertig. Medea erbleichte. Ich habe sie die Hände heben sehen, als wolle sie mich anflehen. Natürlich tat sie es nicht, sie suchte sich zu fassen. Sie hätte sich ein Hohngelächter eingehandelt. Oder doch nicht? Hätte ich sie durch Großmut noch tiefer beschämt?

Manchmal hängt es an einem Faden, wie eine Sache weitergeht. Wie damals, vor langer Zeit, als sie mich verriet, ja verriet, ob sie das noch wissen will oder nicht, diese Gedächtnislücken, die sie sich erlaubt. Oder vor kurzem, als sie krank wurde. Als hätte sie geahnt, daß das Verhängnis näherrückte. Gerne wäre ich die erste gewesen, es ihr anzukündigen. Gern, zu gern hätte ich ihr zugesehen, wie sie die Nachricht aufnahm, und mich an ihrem Schrecken geweidet. Ich wurde wütend, als ich merkte, wie hoch ihr Fieber war. Wie sie sich durch ihre Krankheit einfach entzog. Im gleichen Atemzug begriff ich, daß sie Hilfe brauchte, Medea, die große Heilerin, lag da, rat- und hilflos, mein Herz machte einen Sprung, endlich würde mein innigster Wunsch wahr werden, der meine Kindheit bestimmt hat, ich, ich würde ihre Helferin sein, würde an ihrem Lager verharren, sie pflegen, ihr dienen, mich unentbehrlich machen, und endlich würde ich empfangen, wonach mich noch immer so gräßlich verlangte, ihre Dankbarkeit. Ihre Liebe. Ich verachtete mich dafür, aber der Augenblick war gekommen, der meine Tag- und Nachtträume beherrscht hatte. Sie brauchte mich. Ich würde sie retten. Ewige Dankbarkeit würde sie an mich binden, als die vor allen anderen Bevorzugte würde ich nun in ihrem Dunstkreis leben. Da war sie wieder, diese Benebelung, die mich in Medeas Nähe überkommt, überkam, zum letzten Mal, davor bin ich jetzt sicher. Sicher vor ihren verfluchten Künsten und vor ihrer berüchtigten Ausstrahlung, das schleuderte ich Lyssa entgegen, die hereingefegt kam und mich von Medeas Bett scheuchte mit Gebärden des Abscheus, die ich ihr nicht vergessen werde, als sei ich es gewesen, die Medea diese Krankheit an den Hals gewünscht hatte.

Ich. Agameda. Die einst ihre begabteste Schülerin gewesen ist, das hat sie mir selbst gesagt. Du wirst eine gute Heilerin, Agameda. Setzte aber, wie immer, meiner hochschießenden Freude gleich einen Dämpfer auf: Wenn du es lernst, dich zurückzunehmen. Ich heile nicht, hat sie gesagt, und du auch nicht, Agameda, etwas heilt mit unserer Hilfe. Was wir tun können, ist, dafür zu sorgen, daß dieses Etwas sich frei entfalten kann, in uns und im Kranken. Nun ja. Die meisten ihrer Praktiken, die Zusammensetzung und Herstellungsweise der verschiedenen Sude, die Wirkungsweise der Kräuter, viele ihrer Zaubersprüche habe ich ihr abgesehen und abgelauscht. Ich bin eine Heilerin geworden. Manche Leute kommen lieber zu mir als zu ihr, vor der sie Scheu haben. Gerade vornehme Korinther Familien riefen von Anfang an mich in ihre wohleingerichteten Häuser und hörten es gerne, wenn ich sie ehrlichen Herzens bestaunte und ihnen von den primitiven Behausungen erzählte, in denen die meisten Leute in Kolchis lebten. Daß sogar der Königspalast aus Holz sein soll, das konnten sie nicht glauben, und sie bedauerten mich und bezahlten mich um so besser, je mehr sie mich bedauerten und ihre eigene Art zu leben um so höher schätzen konnten, schnell kam ich dahinter, schnell hatte ich die Kleider, die ich mir wünschte, und die Speisen, an die ich mich gewöhnte wie an die schweren süßen Weine, die man hier trinkt. Presbon, der schon lange Triumphe feiert mit den Festspielen, die er den Korinthern ausrichtet, Presbon hat mich seinen Freunden empfohlen. Und jetzt, da Medeas Stern im Sinken ist, da ich im Palast Mode werde, wie Presbon sagt, jetzt finde ich manchmal, wenn ich von einem Kranken komme, in meiner Tasche ein Schmuckstück. Einen Ring, ein Halsband. Ich trage sie noch nicht, Presbon hat mir davon abgeraten. Man muß den Neid der anderen nicht herausfordern. Er, Presbon, beneidet mich nicht, ich bin keine Rivalin für ihn, es kann ihm nur recht sein, wenn er nicht der einzige Kolcher bleibt, der in Korinth zu Ehren kommt. Früher hat er mich keines Blickes gewürdigt, ich gehörte nicht zu der Art Frauen, die ihn reizen, die müssen schön sein und ihm blind ergeben, beides, das weiß ich, bin ich nicht. Aber nun blickt er mich an, mit einer Art Erstaunen, scheint mir, das an die Stelle des Begehrens treten kann. Das zum Begehren werden kann. Wenn ich irgend etwas über die Merkwürdigkeit des männlichen Begehrens weiß, ist es das, und nicht oft genug kann ich es erproben.

Natürlich geiferte diese Lyssa mich an, nannte Presbon und mich niederträchtig, fehlte nur, daß sie uns geradewegs Verräter geschimpft hätte, wie sie es untereinander sicherlich tun, wenn sie zusammenhocken, diese älter gewordenen Kolcher. Wenn sie auf dem Platz in ihrem Viertel, in dem sie sich ein Klein-Kolchis eingerichtet haben, das sie gegen jede Veränderung abdichten, ihre Köpfe zusammenstecken und in den Geschichten, die sie sich zuraunen, ein wundersames Kolchis erstehen lassen, das es auf dieser Erde niemals und nirgends gegeben hat. Es wäre zum Lachen, wenn es nicht so traurig wäre, schrie ich Lyssa an. Du siehst nur, was du sehen willst, gab sie zurück, nur diese paar verknöcherten Alten, die sich vor lauter Kummer und Heimweh und vor Empörung über die Behandlung, die sie durch die Korinther erfahren, ihre Traumwelt zurechtgezimmert haben. Aber leicht hätte ich es mir ja schon immer gemacht, wagte diese Frau mir zu sagen, immer schon hätte ich mir ein Bild von anderen und besonders von mir selbst zurechtgebastelt, wie ich es brauchte und wie ich es ertragen könnte. Ich war außer mir. Ich? habe ich zurückgeschrien. Ich? Und ihre unfehlbare Medea? Die sich nur noch mit ihren Verehrern umgebe? Niemanden sonst an sich heranlasse? Da ist Lyssa still geworden. Du bist ja verrückt, hat sie gesagt. Du glaubst ja, was du sagst. Du willst sie ja wirklich vernichten.

Ja. Das will ich. Der Tag, an dem es geschieht, wird mein glücklichster Tag sein.

Lyssa die Kuh, so nennt Presbon sie. Die dazu gemacht ist zu säugen, zuerst ihre eigene Tochter Arinna, dann hat sie auch noch die beiden Söhne der Medea an die Brust genommen, hat, was sie konnte, dazu beigetragen, daß dieser Frau alles zu glücken schien. Daß sie dasaß wie in einer Festung aus Glück. Ihren wilden Haarbusch hat sie durch die Stadt getragen wie ein Banner. Aber die Zeiten sind vorbei. Jetzt bindet sie ein Tuch um das Haar, wenn sie, selten genug, zum Palast geht. Jason verleugnet sie öffentlich und schleicht sich heimlich zu ihr. O ja, ich weiß Bescheid. Ich stand vor Lyssa und höhnte, Medea brauche niemanden zu ihrer Vernichtung, die besorge sie selbst, und zwar gründlich. Da packte sie mich an der Schulter und schüttelte mich, sie hat, das muß ich Presbon sagen, überhaupt keine Kuhaugen, wenn sie zornig ist. Ich solle mit meinen dunklen Andeutungen aufhören, schrie sie. Gerade noch rechtzeitig fuhr mir der Gedanke durch den Kopf, daß ich innehalten sollte. Ich streifte Lyssas Hand ab und ging.

Alles war entschieden. Ich war bereit. Presbon erwartete mich. Wir mußten zu Akamas gehen. Unsere Wünsche sollten Gestalt annehmen.

Falls wir gedacht hatten, wir wären dem Akamas willkommen, hatten wir uns gründlich geirrt. Akamas ließ uns warten. Er sei beschäftigt. Ich, schnell verletzt, wollte gehen, Presbon hielt mich fest. Wir seien es unseren Gastgebern schuldig, sie etwas wissen zu lassen, was ihr Gemeinwesen gefährde. Presbon ist ein Mensch mit der Begabung, sich selbst zu belügen. Er kennt für sein Tun und Lassen keine anderen als die edelsten Motive. Was ihn wirklich treibt, Medea ans Messer zu liefern, durchschaute ich erst nach und nach. Presbon will nicht nur geliebt sein wie wir alle. Er kann sich selbst nur fühlen, wenn ihn eine große Menge bewundert, der er ihre Feste ausrichtet, egal, ob er an ihre Götter glaubt. Er macht sich an sie glauben. Medea, denkt er, verachtet ihn dafür. In Wirklichkeit ist es schlimmer: Er ist ihr gleichgültig. Das muß ihm ein unleidlicher Stachel im Fleisch sein, und ich habe ihm das Mittel an die Hand gegeben, sich diesen Stachel ein für allemal auszureißen.

Akamas empfing uns mit dieser schwer zu beschreibenden Distanz, die die Korinther von Anfang an uns Kolchern gegenüber angenommen haben und die, wie nahe einer oder eine von uns ihnen auch zu kommen glaubt, niemals zu überwinden ist. Sie werden ja mit der unerschütterlichen Überzeugung geboren, daß sie den kleinwüchsigen braunhäutigen Menschen überlegen sind, die in den Dörfern um ihre Stadt herum leben und bei denen sich die Legende hält, sie seien die Ureinwohner, sie hätten als erste die Ufer dieses Meeres besiedelt, sie hätten hier zuerst den Fisch gefangen und den Olivenbaum angepflanzt. Klar, daß sie uns Kolcher an sich zogen, daß sie uns als Ihresgleichen in ihre Siedlungen aufnehmen wollten, daß sie unseren Männern ihre Töchter anboten, unseren Mädchen ihre Söhne. Am liebsten hätten sie uns mit untergerührt in den gestalt- und gesichtslosen Brei dieses Stammes- und Völkergemischs, und es gab ja Kolcher, die, erschöpft nach langer Irrfahrt, ihrer Widerstandskräfte beraubt, dieser Versuchung unterlagen, sich in die Arme dieser unterlegenen Völkerschaften warfen, sich in ihnen auflösten und so aufhörten, Kolcher zu sein. Auch mir scheint es schwachsinnig, sich an ein unhaltbares Selbstbild zu klammern, aber warum sich nicht anstrengen, in die höhere Existenzform aufzusteigen. Ich will nicht niemand sein. Dieses Ziel im Auge, stand ich endlich dem Akamas gegenüber.

Akamas war höflich, auf seine unpersönliche Weise. Die lange Wartezeit erwähnte er mit keinem Wort, doch verbeugte er sich förmlich und schickte dann, auf Presbons Bitte, sogar den Turon, seinen jungen geschickten Gehilfen, aus dem Raum. Der strich dicht an mir vorbei und kniff ein Auge zu. Wir kennen uns ja ganz gut, Turon gehört zu den jungen Männern von Korinth, denen ich mich nicht versage, weil sie an Einfluß gewinnen werden und mir einmal nützlich sein können.

In Korinth ist es, anders als in Kolchis, geboten, daß der Mann zuerst spricht, sogar, eine lächerliche Sitte, daß der Mann für die Frau spricht. Also nahm Presbon zuerst das Wort und hielt, wie er es sich angewöhnt hat, genau die Mitte zwischen Anmaßung und Unterwürfigkeit. Er ließ Akamas wissen, ich, Agameda, habe ihm eine wichtige Mitteilung zu machen. Akamas richtete seinen Blick auf mich. Dieser Mensch mochte mich nicht. Er sagte: Sprich. Ich sagte, die Angelegenheit betreffe Medea. Akamas unterbrach mich schroff: Für die Einwanderer sei er nicht zuständig. Ich schwor mir, der soll noch Respekt vor mir kriegen. Kühl sagte ich, er müsse natürlich selbst entscheiden, ob er eine Nachricht hören wolle, über deren Wert für Korinth zu urteilen uns nicht zustünde. Da faßte er mich genauer ins Auge, überrascht, schien mir, und wiederholte herrisch: Sprich. Ich sagte ihm, was ich gesehen hatte: Medea habe beim Fest des Königs der Königin Merope nachspioniert.

Das zu hören mißfiel dem Mann. Spioniert? fragte er mit hochgezogener Augenbraue. Aber wie denn, meine Liebe. Unter seinem unverschämten Blick vergröberten sich meine Gliedmaßen, meine große Nase, die ich möglichst nie im Profil zeige, die ungeschlachten Hände und Füße, die ich schon als Mädchen zu verstecken suchte. Erst Medea, der ich zu meiner Beschämung eine Zeitlang mein Inneres geöffnet habe, versuchte mir Schönheiten anzureden: meine schön geformten Augenbrauen, mein dichtes Haar, meine Brüste. Aber mein Haar ist zu glatt, meine Brüste sind schlaff, das sieht jeder, auch Akamas sah es, ich verwünschte Presbon, der mich hierher geschleppt hatte. Akamas verachtete mich. Das war mir keine neue Erfahrung. Auch meine guten Kolcher verachten mich, seit ich immer seltener in ihrer kleinen Kolonie erscheine und mich immer häufiger in Begleitung einflußreicher Korinther sehen lasse, und erst recht, als ich ihnen hinwarf, warum ich die Erinnerung an ein Kolchis pflegen sollte, das ich schon seit langem unerträglich gefunden hätte. Da hast du dich früher aber glänzend verstellt, sagte Lyssa mir einmal. Wennschon. Es schert mich nicht, da die Korinther mir meine Unverblümtheit danken. Ich hatte schnell herausgefunden, wie dringlich sie ihren Glauben brauchen, sie lebten im vollkommensten Land unter der Sonne. Was kostet es mich, sie darin zu bestärken?

Akamas aber sollte dafür zahlen, daß er mich seine Verachtung fühlen ließ. Auch ich will in Schicksale eingreifen, und ich bin dazu genauso begabt wie er, und keine andere Lust übertrifft die, die in mir aufschießt, wenn ich meine Gedanken und Absichten einem anderen Menschen eingegeben habe, so daß er sie als die seinen empfindet.

Günstig war, daß, was ich dem Akamas zu berichten hatte, der Wahrheit entsprach. Zufällig – das war das einzige unwahre Wort in meinem Bericht –, zufällig hatte ich, beim Königsfest als Betreuerin der Königstochter Glauke weisungsgemäß am Ausgang stehend, unsere Königin Merope den Saal verlassen sehen. Allein. Und hatte dann beobachtet, wie Medea ihr beinah auf dem Fuße gefolgt war. Wie zuerst die Königin, dann Medea hinter einem Fell in der Wand eines Seitengangs verschwunden und lange, jedenfalls so lange ich es für angebracht hielt zu warten, nicht wieder aufgetaucht seien. So daß ich, besorgt, beinah Alarm geschlagen hätte, wenn nicht der Schwächeanfall der Glauke mich ganz in Anspruch genommen hätte. Aber

74

das wisse er ja. Schwächeanfall, das ist das Wort, auf das die Ärzte sich mit dem König geeinigt haben, wenn seine blasse dünne Tochter wieder einmal zu zucken anfängt, sich auf die Erde wirft, wo ihr Körper sich in gräßlicher Weise verrenkt und auf einen Bogen gespannt zu werden scheint, während ihre Augen sich verdrehen, so daß man nur das Weiße in ihnen sieht, und auf ihre verzerrten Lippen Schaum tritt. Jeder im Saal hat diesen peinlichen Vorfall miterlebt, auch Akamas, auch Presbon, einer seiner pompösen Aufführungen zur Verherrlichung des Königshauses wurde so ein verfrühtes, ungutes Ende bereitet. Ich aber mußte die Unglückliche mit Wasser besprengen, mußte ihren wild hin und her schlagenden Kopf halten, mußte schließlich neben der Bahre herlaufen, auf der man sie in ihre Gemächer brachte, wo ich sie mit Kräuterumschlägen und einigen Handgriffen zu sich zu bringen suchte, wobei ich höllisch aufpassen mußte, daß ich den übrigens ratlosen Ärzten des Königs den Vortritt ließ und später meinen Anteil an der Wiederherstellung der armen Glauke nicht erwähnte.

Erst an der Schärfe und Inständigkeit des Verhörs, dem Akamas mich unterzog, begriff ich, wie ernst er die Mitteilung nahm, die ich ihm gemacht hatte. Begriff, in welche Gefahr Medea sich gebracht hatte. Das gefiel mir, nur durfte sie mich um keinen Preis in diese Gefahr mit hineinziehen. Ich brauchte all meine Überzeugungskraft, dem Akamas glaubhaft zu machen, daß ich den beiden Frauen keinen Schritt weit gefolgt war und nicht die mindeste Ahnung hatte, was sich hinter dem Fell im Seitengang verbarg. Ich hoffe für dich, daß das stimmt, sagte er knapp, aber ich spürte, er glaubte mir. Erst später gab mir Presbon zu bedenken, Glauben oder Nichtglauben spiele bei Akamas keine Rolle, falls er sich doch noch dazu entschließen sollte, mich in den Untergang der Medea hineinzureißen; denn das sei doch wohl auch mir bei seinem Fragen deutlich geworden: Hier gehe es um Leben und Tod. Der Brocken, den wir da auf Medea gewälzt hatten, war größer, als wir gedacht hatten. Wäre ich auch zu Akamas gegangen, wenn ich das gewußt hätte, frage ich mich, und die Antwort steht klar vor mir: Ja. Auch dann. Und sogar dann, wenn dieser Brocken mich mit erschlagen würde.

Aber das soll er ja nicht, Akamas selbst verhindert es. Er braucht mich, und nicht nur in dem groben Sinn, der mir gleich einleuchtete: Natürlich brauchte er mich für das Zeugnis, das niemand glaubwürdiger abgeben konnte als ich. Er ließ mich dieses Spiel spielen, für das ich mich so gut eigne. Er brauchte mich für das Netz, in dem Medea sich verfangen hatte, noch ehe sie es ahnte. Da war ich Akamas zu Diensten, machte mich unentbehrlich. Wichtiger aber, das ging mir bald auf, war eine andere Wirkung, die ich auf ihn ausübte und der er sich überließ, bis er sie nicht mehr missen konnte. Medea in ihrer Verblendung setzt ja auf die Stärken der Menschen, ich setze auf ihre Schwächen. So kitzelte ich jene Gelüste aus seinem etwas zu klein, etwas zu unansehnlich geratenen Körper und aus seinem etwas zu groß, etwas zu rund geratenen Kopf mit den leicht vorstehenden Glupschaugen hervor, die er sich selber nicht zugeben wollte und nach denen er dann, wie jeder Mann, der sich zu lange Zügel angelegt hat, süchtig werden mußte. Ich meine nicht die Liebe in ihren vielen Spielarten, gegen sie war Akamas gefeit. Ich meine die Gier, hemmungslos böse zu sein, die sich allerdings manchmal im Liebesspiel äußert.

Nicht bei Akamas. Er ist ja ein merkwürdig aus ungleichen Teilen zusammengesetzter Mann. Er lebt versteckt in sorgfältig zusammengebastelten Gedankengebäuden, die er für die Wirklichkeit hält, die aber keinen anderen Zweck haben, als ihm sein leicht wankendes Selbstbewußtsein zu stützen. Widerspruch hält er nicht aus, hochmütig gießt er versteckten und offenen Hohn über kleinere Geister aus, also über jedermann, da er allen überlegen sein muß. Ich erinnere mich an den Augenblick, als mir klar wurde, daß er wenig Menschenkenntnis hat und darauf angewiesen ist, in einem Gerüst von Grundsätzen zu leben, das niemand in Frage stellen darf, sonst fühlt er sich auf unerträgliche Weise bedroht. Einer dieser Grundsätze ist seine fixe Idee, er sei ein gerechter Mann. Ich wollte es kaum glauben, daß dies sein Ernst war, aber als er anfing, alles zusammenzutragen, was für Medea sprach, begriff ich, daß es ihm zupaß kommen mußte, wenn er Beweise gegen Medea in die Hand bekam. Daß ihm ihr Getue zum Hals heraushing. Daß er es satt hatte, auf ihre Unfehlbarkeit mit gleicher Unfehlbarkeit antworten zu müssen, um sich in ihrer Gegenwart nicht unterlegen zu fühlen. Ach, alle Arten von Wirkung, die diese Frau verbreitet, habe ich von Grund auf studiert.

Wenn ich mich irrte, konnte ich alles verlieren, aber ich setzte auf meinen Instinkt und unterbrach Akamas, als der anfing, Medeas gute Eigenschaften zu loben, mit der Frage, ob er das glaube, was er da sage. Presbon stockte der Atem, hat er mir später gestanden. Eine solche Unverschämtheit hat sich noch niemand gegen Akamas herausgenommen, seit er des Königs engster Ratgeber ist.

Akamas hielt mitten im Satz inne, ich sah Überraschung in seinen Augen aufblitzen, und ein Interesse, auf das ich es allerdings angelegt hatte. Was ich meine, wollte er wissen.

Da sagte ich, wenn ein Mensch sich so vollkommen und untadelig gebe wie Medea, dann müsse es doch irgendwo eine faule Stelle geben. Dann habe sie doch etwas zu verbergen. Dann wolle sie doch, indem sie anderen ein schlechtes Gewissen mache, vermeiden, daß jemand hinter diesen schönen Schleier blicke, den sie um sich gezogen habe. Er, Akamas, wisse das doch ganz genau.

Akamas schwieg. Dann sagte er zu Presbon: Da hast du mir ja ein kluges Kind gebracht. Beinahe ein bißchen zu klug, meinst du nicht. Die Sache stand immer noch auf der Kippe. Da setzte ich das Mittel ein, das, ich habe es oft und oft erprobt, bei jedem Mann wirkt: Ich schmeichelte ihm schamlos. Ich sei nicht klüger als andere, sagte ich, und gewiß nicht so klug wie er. Manchmal allerdings hätte ich das Glück, jemandem, an dem mir liege, seine eigene Klugheit zeigen zu dürfen.

Seitdem bewundert Presbon mich hemmungslos. Ich glaube, er hat es danach lange nicht gewagt, mit mir zu schlafen, weil er sich mir unterlegen fühlte. Und natürlich weil er Akamas nicht ins Gehege kommen wollte. Denn es hat sich ergeben, daß ich manchmal, wenn wir abends bestimmte Vorhaben besprochen haben, über Nacht bei ihm bleibe. Nun ja. Ein Mann kann wahrscheinlich nicht auf allen Gebieten glänzen, ich bin auch nicht erpicht darauf. Es fällt mir leicht, ihm das Gefühl zu geben, ein unübertrefflicher Liebhaber zu sein. Einen größeren Reiz als den, bei dem mächtigsten und klügsten Mann dieser Stadt zu liegen, könnte mir kein anderer verschaffen.

So ist es jetzt, und das Schönste daran: Niemand kann sicher sein, daß es so bleibt. Alles ist in der Schwebe, das macht mir am meisten Spaß, jeder Tag ist ein Sprung in neues Wasser, jeder Tag fordert mich bis zum äußersten.

Denn natürlich bleibt Akamas vor mir auf der Hut, und natürlich bleibe ich vor ihm auf der Hut, und natürlich weiß ich, daß der Teil seiner Seele, den er am meisten liebt, immer noch an Medea hängt, daß er also mit der einen Hand, derjenigen, die dem König gehört, gegen sie arbeitet, und mit der anderen, der, die er zum Herzen führt, wenn er sich vor ihr verneigt, das Unheil, das er ihr bereitet, wieder auszugleichen sucht. Mag sein, auch dabei ist Berechnung, so ist der Mensch, und schließlich erreichte er, daß sie lange vertrauensselig blieb. Übrigens spüre ich am Grund von Akamas' schwer durchschaubarem Verhältnis zu Medea noch etwas anderes, kaum Benennbares. Denn wenn ich schlechtes Gewissen sage, treffe ich es nicht, und doch habe ich nicht nur bei Akamas, auch bei anderen Korinthern etwas gefunden, was sie, mehr noch als ihr Königshaus, aneinander bindet, ohne daß sie es ahnen. Auf eine unterirdische, nicht nachweisbare Weise scheint sich das Wissen ihrer Vorfahren auf die späten Nachkommen zu übertragen, das Wissen, daß sie diesen Landstrich von den Ureinwohnern, die sie verachten, einst mit roher Gewalt erobert haben. Ich habe in Korinth niemals jemanden darüber sprechen hören, aber durch eine beiläufige Bemerkung des Akamas wurde mir eines Nachts mit einem Schlag klar, was Medea für ihn leistet, ganz ohne es zu wissen: Sie ermöglicht ihm, sich selbst zu beweisen, daß er auch zu einer Barbarin gerecht, vorurteilsfrei und sogar freundlich sein kann. Absurderweise sind diese Eigenschaften am Hof in Mode gekommen, anders als beim gemeinen Volk, das ohne Gewissensbisse und ohne Einschränkung seinen Haß auf die Barbaren auslebt. Die Aufgabe, Akamas dazu zu bringen, rückhaltlos gegen Medea zu arbeiten, spornt mich an.

In der hochmütigsten Art, zu der er fähig ist, hat er uns bei unserer ersten Begegnung klar gemacht, daß wir hohe Strafen zu erwarten hätten, wenn wir unsere Neugier nicht im Zaum hielten und herauszufinden suchten, was sich hinter jenem Fell verbirgt, hinter dem ich Merope und dann Medea hatte verschwinden sehen. Willig leisteten wir das heilige Versprechen, und da ich nicht lebensmüde bin, habe ich dieses Versprechen bis jetzt gehalten und werde es immer halten. Insgeheim hofften wir alle drei, daß Medea sich nicht klug verhalten würde, und das hat sie auch nicht getan. Sie hat herumgeschnüffelt, vorsichtig zwar, aber wer Beweise dafür suchte, konnte sie finden. Doch scheint das Geheimnis, dem sie auf der Spur ist, von so entsetzlicher Art zu sein, daß man diese Beweise nicht öffentlich gegen sie verwenden kann. In vertrackten Sätzen hat Akamas uns diese Lage geschildert. Wir begriffen schnell, und es war Presbon, der auf die Idee kam, anstelle des Vergehens, dessen man sie nicht bezichtigen durfte, ein anderes zu finden, das man öffentlich gegen sie verwenden konnte und das auch zu dem gewünschten Ergebnis führen würde. Nicht mit einer Silbe sprachen wir davon, welches denn dieses gewünschte Ergebnis sein soll. Wir spielten mit unseren immer ausgefeilteren Plänen in einem unwirklichen Raum, als werde niemand durch unser Spiel betroffen. Dies ist eine sehr nützliche Methode, wenn man frei und zugleich wirksam denken will. Es ist übrigens eine Art des Denkens, die wir in Kolchis noch nicht gekannt haben, angeblich ist sie nur den Männern gegeben, aber ich weiß, ich bin begabt dafür. Nur übe ich sie im geheimen.

Akamas gab uns keinen Auftrag, er wollte sich immer noch den Rückzug frei halten. Wollte Medea noch ein

Weilchen beobachten. Wollte mal sehen, ob sie nicht von selbst zu Verstand kam, aber ich war mir sicher, sie würde nicht aufhören, da und dort unauffällig Erkundigungen einzuziehen, die diesen Gang betrafen, in den sie der Königin gefolgt war, soviel wußte ich inzwischen auch und durfte es doch nicht wissen. Ich konnte mich auf Medeas Einbildung verlassen, daß sie unantastbar sei. Sie lief wie in einer Schutzhaut herum. Ich dagegen war seit meiner frühen Kindheit ohne Schutz, allen Verletzungen ausgesetzt. Das konnte sie sich nicht mal vorstellen, Medea, die Königstochter, Medea, die Priesterin der Hekate. Ja, ich wurde mit zehn Jahren, als meine Mutter starb, unter die Tempeldienerinnen aufgenommen und durfte bei Medea lernen, das war mein heißester Wunsch gewesen, seit ich denken konnte. Medeas Art zu leben erschien mir als die einzig erstrebenswerte, und so konnte ich nicht nur traurig sein, als meine Mutter tot war. Medea war mit ihr befreundet, sie hatte alle ihre Künste aufgeboten, sie zu retten, das Fieber fraß sie auf. Nie vorher habe ich Medea so zornig gesehen, wenn jemand starb, den sie behandelt hatte. Dieser Zorn hatte etwas Ungehöriges, denn jeder Kolcher weiß, es gibt eine Grenze für die menschliche Fähigkeit zu heilen, hinter der die Götter selbst die Dinge in die Hand nehmen. Es schickt sich nicht, die Götter durch übergroße Trauer um den Toten zu kränken, wie es zu unserem Befremden die Korinther tun; allerdings fehlt ihnen ja auch die Gewißheit, daß die Seelen der Toten nach einer Ruhezeit in einem neuen Körper wieder auferstehen.

Wie auch immer, Medea nahm mich in ihre Schülerinnenschar auf, wie sie es meiner Mutter versprochen hatte, sie lehrte mich, was sie wußte, aber sie hielt mich zu meiner Enttäuschung von sich fern, sie entzog dem Kind die Zuneigung, nach der es brannte, und erst viel später, als ich in die erste Reihe ihrer Schülerinnen aufgerückt war, sagte sie mir einmal beiläufig, ich hätte doch sicher verstanden, daß sie mich strenger habe behandeln müssen als alle anderen, damit man ihr nicht nachsagen könne, sie ziehe die Tochter ihrer Freundin den anderen vor. Da fing ich an, sie zu hassen.

Alles kann man nicht haben, hat sie mir einmal gesagt. Nun, auch sie sollte erfahren, daß man nicht alles haben konnte, die gesicherte Stellung im Tempel und zugleich die Liebe von jedermann. Sie hat es gar nicht bemerkt. Erst hier in Korinth wurde sie wieder auf mich aufmerksam, als ich mich schnell von den braven langweiligen Kolchern löste und mich unter die jungen Leute von Korinth mischte. Einmal hat sie das Gespräch mit mir gesucht, hat Anteilnahme geheuchelt und mich gefragt, ob ich unglücklich sei. Ich habe nur gelacht. Es war zu spät.

Unglücklich. Die Zeiten sind vorbei, da sie mich unglücklich machen konnte. Als ginge es darum, glücklich zu sein. Turon und ich, wir passen glänzend zusammen, weil wir uns gegenseitig nichts vormachen. Ein Zweckbündnis, sagt Presbon, er verstehe das, und es schließe ja wohl andere Verbindungen nicht aus. Auf einmal wollen sie mich alle. Presbon stößt mich als Mann eher ab, sein störrisches rotes Haar, sein schwammiger Körper. Er braucht jemanden, der ihm zuhört, er empfindet mehr Lust bei seinen Redeergüssen, als wenn er bei einer Frau liegt. Seine Eitelkeit ist maßlos, er hat sie nicht in der Gewalt, mein übertriebenes Lob erregt ihn mehr als mein Körper, ich weiß das. Und warum auch nicht. Jede Frau nutzt die Gaben, die sie hat, um einen Mann an sich zu fesseln. Turon hat mir den Weg ins Königshaus geöffnet, Presbon zeigt mir den Weg, mich an Medea zu rächen. Denn natürlich war er es, der den Vorschlag machte, den wir dann in einer langen Nacht gemeinsam bis ins kleinste entwickelten, in einer Nacht, an deren Ende wir lustvoll miteinander schliefen. Genial war der Plan, weil er alle Möglichkeiten offenhielt. Medea würde beschuldigt werden, ihren Bruder Absyrtos in Kolchis getötet zu haben. Das würde Akamas die Handhabe geben, gegen sie vorzugehen, wenn er es denn wollte, da er ja nun mal ihr wirkliches Vergehen, in ein innerstes Geheimnis von Korinth eingedrungen zu sein, nicht verwerten konnte. Wir beide übrigens, Presbon und ich, verhehlten uns unsere Schadenfreude darüber nicht, daß auch dieses wundervolle, reiche, seiner selbst so gewisse und hochmütige Korinth seine unterirdischen Gänge mit ihren tief verborgenen Geheimnissen hat. Für den gewöhnlichen Menschen mit seinen Schwächen lebt es sich besser unter Menschen, die auch ihre Schwächen haben.

Das mußten wir Akamas ja nicht spüren lassen. Am besten verschonten wir ihn mit bestimmten verzwickten Sachverhalten, in die seine Art zu denken sich nur zu gerne verheddert. Als er uns fragte, ob denn Medea wirklich ihren Bruder umgebracht habe, antworteten wir verabredungsgemäß, dieses Gerücht, das damals in Kolchis umlief, sei jedenfalls niemals widerlegt worden, auch Medea habe ihm nie widersprochen. Akamas begann laut zu denken, um uns Gelegenheit zu geben, seine Einwände zu zerstreuen. Aber das alles sei doch so lange her, und es betreffe doch eigentlich nur die Kolcher. Die allerdings stünden unter dem Schutz des Königs von Korinth, der ihnen wohl seinen Beistand nicht versagen werde, wenn sie ernstlich das Bedürfnis zeigen sollten, altes Unrecht endlich zu tilgen. Immerhin, ein solcher Schritt wolle gründlich bedacht sein. Er müsse sich auf unsere absolute Verschwiegenheit gegenüber jedermann verlassen können. Das sagte er drohend. Wir wußten beide, eine Veränderung der Lage zugunsten Medeas würde uns in Gefahr bringen. Wir haben ein starkes Interesse daran, daß Medeas Lage sich verschlechtert. Akamas weiß das. Er verachtet sich und uns dafür, daß sein Interesse sich mit dem unseren deckt, wir wissen das, und er weiß, daß wir es wissen. Unsere Beziehungen werden allmählich bodenlos, und ich habe meinen Spaß daran. Eindeutige Beziehungen langweilen mich zu Tode.

Wir brauchten ja nur die Augen offenzuhalten, Medea selbst ging Schritt für Schritt ins Netz, wir mußten nur dafür sorgen, daß Akamas von jedem ihrer Schritte erfuhr, nicht durch uns, versteht sich. Daß dem Akamas klar wurde, Medea gab nicht auf; vorsichtig zwar, doch beharrlich trieb sie ihre Nachforschungen weiter, verschaffte sich nach und nach Zugang zu allen Leuten in Korinth, von denen sie sich eine Auskunft über jenen verborgenen Fund versprach, den sie in jenem unterirdischen Gang gemacht haben muß und dessen Beschaffenheit ich ahne. Doch hüte ich mich, mir ein Sterbenswörtchen darüber entschlüpfen zu lassen, nicht einmal in meinem innersten Innern erlaube ich mir, meiner Ahnung Worte zu geben. Und manchmal fasse ich den Leichtsinn nicht, mit dem sie vorgeht.

Sie ist nicht davor zurückgeschreckt, sich heimlich mit der Königin zu treffen, in jenem alten Teil des Palastes, den sonst jedermann meidet. Als Akamas davon erfuhr – diesmal übrigens ohne unser Zutun, er hatte seine eigenen Quellen –, sah ich ihn endlich wütend. Jetzt könne er Medea nicht mehr schützen. Und uns wolle er nicht länger zumuten, unser Wissen für uns zu behalten. Es war ein Augenblick zwischen Schrecken und Freude.

Wir beide, Presbon und ich, kamen überein, nur je einer Person von dem Verdacht gegen Medea zu erzählen. Wir waren neugierig, wie schnell das Gerücht sich verbreiten würde. Nach zwei Tagen wußten alle Kolcher davon, aber nur wenige Korinther, die übrigens eine gewisse Unlust zeigten, sich mit den alten unappetitlichen Angelegenheiten der Kolcher überhaupt zu befassen. Jason natürlich, der geriet sofort in Panik. Aber auch Medea zeigte Wirkung, zu meiner Genugtuung, versteht sich. Sie hielt es für angebracht, mich mitten auf der Straße zu stellen, obwohl sie doch die Urheber des Gerüchtes gar nicht kennen konnte. Hör mal, Agameda, sagte sie ohne Umschweife, du weißt doch ganz genau, daß ich mit dem Tod von Absyrtos nichts zu tun habe. Da hatte ich eine meiner genialen Eingebungen. Ich sagte: Und du, Medea, solltest wissen, daß eine Schwester ihren Bruder auf verschiedene Weise auf dem Gewissen haben kann.

Da ist sie bleich geworden, ich habe es gesehen.

4

Jason zu Medea:
Geh durch die hohen Räume im erhabenen Äther,
bezeuge, daß, wo du fährst, es keine Götter gibt.

Seneca, ›Medea‹

Medea

Absyrtos, Bruder, bist also gar nicht tot, hab dich umsonst Knöchelchen um Knöchelchen aufgelesen auf jenem nächtlichen Acker, auf dem die wahnsinnigen Weiber dich verstreut hatten, armer zerstückelter Bruder. Bist mir nachgekommen, zäh, wie ich dich gar nicht gekannt habe, aber wie habe ich dich denn gekannt, hast deine zerstük- kelten Glieder wieder zusammengesetzt, am Grunde des Meeres sie wieder versammelt, Bein um Bein, und bist mir gefolgt, als Luftgebilde, als Gerücht. Du wolltest nie mächtig sein, jetzt bist du es. Mächtig genug, mich nachzu- holen, in die Lüfte oder auf den Grund des Meeres, das glauben sie jedenfalls, nicht nur Presbon und Agameda, die es so dringlich wünschen, auch Leukon, ich sah die Sorge in seinen Augen. Ich dagegen erschrak kaum, als der Vorläufer des Gerüchts mich streifte, man sagte es mir ja nicht ins Gesicht, man wisperte es hinter meinem Rücken. Ich hörte deinen Namen, seit langem wieder einmal deinen Namen, Bruder, und dann den meinen, und wenn ich mich schnell umdrehte, traf ich auf verschlossene Gesichter, auf gesenkte Blicke. Alle wußten es schon, außer mir, endlich klärte Lyssa mich auf: Ich soll dich, Absyrtos, meinen Bru- der, getötet haben. Ich lachte. Lyssa lachte nicht. Ich sah sie an, dann sagte ich, aber du weißt doch, wie es wirklich war. Ich weiß es, sagte Lyssa, und werde es immer wissen. Das hieß, nicht alle würden immer wissen, was sie wußten.

Ich verstand noch immer nicht, fühlte sogar etwas wie Erleichterung, daß etwas geschah, daß vielleicht die Langeweile, die sich die Jahre über in Korinth wie ein trüber Bodensatz in mir abgelagert hatte, noch einmal aufzulösen wäre.

Korinth und alles, was in ihm geschehen war und geschah, ging mich ja nichts an. Unser Kolchis ist mir wie mein eigener vergrößerter Leib gewesen, an dem ich jede seiner Regungen spürte. Den Niedergang von Kolchis ahnte ich wie eine schleichende Krankheit in mir selbst, Lust und Liebe entwichen, dir habe ich es gesagt, kleiner Bruder, du warst so verständig, so einfühlsam. Wenn wir mit der Mutter zusammenhockten, mit der Schwester Chalkiope, mit Lyssa, und sorgenvoll hin und her wendeten, was mit Kolchis passierte, bist du, ein Kind noch, so hellsichtig gewesen. Nichts hat mich mehr gequält als der Gedanke, du könntest vorausgesehen haben, daß es dir ans Leben gehen würde, als unser Vater, als der König dich und uns mit diesem verfluchten Plan überrumpelte. Als uns nichts einfiel, was wir dagegen vorbringen konnten, außer einem dumpfen Unbehagen. Wir hatten ihn unterschätzt, unser hinfälliger, unfähiger König und Vater hatte jedes Fetzchen Kraft, das noch in ihm war, auf einen Punkt versammelt: sich an der Macht und damit am Leben zu halten. Wir kannten diese Art zu allem entschlossener List nicht. Wir waren blind, Absyrtos.

Sogar du hattest verstanden, daß die Art, wie Aietes Kolchis regierte, immer mehr Kolcher gegen ihn aufbrachte, auch unsere Mutter, und mich, Priesterin der Hekate, deren Tempel ohne mein Zutun zum Treffpunkt der Unzufriedenen wurde, vor allem der jüngeren Leute, du, kleiner Bruder, immer dabei. Sie stießen sich am Starrsinn des Aietes, an der unnützen Prachtentfaltung des Hofes und verlangten, der König solle die Schätze des Landes, unser Gold, verwenden, um unserem Handel einen Aufschwung zu geben, das elende Leben unserer Bauern zu erleichtern. Sie wollten, der König und sein Clan sollten sich auf die Pflichten besinnen, die ihnen von alters her in Kolchis zufielen. Ach, Absyrtos! Was wir Unwissende für Pracht hielten! Seit ich in Korinth bin, weiß ich, was Prachtentfaltung ist, an der sich hier aber niemand zu stören scheint, selbst die Armen in den Dörfern und am Stadtrand bekommen entzückte Gesichter, wenn sie von den großen Festen im Palast reden, für die sie ihr Vieh und ihr Getreide abliefern müssen, ohne je selbst auch nur einen Abglanz dieser Feste zu erhaschen.

Wir in Kolchis waren beseelt von unseren uralten Legenden, in denen unser Land von gerechten Königinnen und Königen regiert wurde, bewohnt von Menschen, die in Eintracht miteinander lebten und unter denen der Besitz so gleichmäßig verteilt war, daß keiner den anderen beneidete oder ihm nach seinem Gut oder gar nach dem Leben trachtete. Wenn ich, noch unbelehrt, in der ersten Zeit in Korinth von diesem Traum der Kolcher erzählte, erschien auf dem Gesicht meiner Zuhörer immer derselbe Ausdruck, Unglauben vermischt mit Mitleid, schließlich Überdruß und Abneigung, so daß ich es aufgab zu erklären, daß uns Kolchern dieses Wunschbild so greifbar vor Augen stand, daß wir unser Leben daran maßen. Wir sahen, wir entfernten uns davon von Jahr zu Jahr mehr, und unser alter verknöcherter König war das größte Hindernis. Die Idee war naheliegend, daß ein neuer König einen Wandel schaffen könnte. Von den Frauen, die zu unserem Kreis gehörten, kam der kühne Gedanke, Chalkiope, unsere

Schwester, zur neuen Königin zu machen. Es ist überliefert, daß in früheren Zeiten Frauen in Kolchis Königinnen waren, und da wir nun einmal dabei waren, alte Bräuche wieder aufzufrischen, erinnerten uns einige der Uralten daran, daß einst in Kolchis ein König nur sieben Jahre regieren durfte, und dann höchstens noch einmal sieben Jahre, dann war seine Zeit abgelaufen, und er hatte seinem Nachfolger das Amt zu überlassen. Wir rechneten nach: Wir waren im siebenten Jahr der zweiten Amtszeit des Königs Aietes, und es gab einige Gutgläubige unter uns, die es für möglich hielten, daß Aietes freiwillig zurücktreten würde, wenn man ihn nur davon überzeugen könnte, daß er damit einem alten kolchischen Gesetz gehorche.

Wie dumm wir waren. Wie blind. Auch Aietes kannte die alten Geschichten, natürlich hinterbrachte man ihm, was wir vorhatten. Wir hatten ihn unterschätzt. Als die Gruppe von Kolchern, die wir abgesandt hatten, bei ihm erschien, war er vorbereitet. Anstatt von ihnen die Mitteilung zu empfangen, daß seine Regierungszeit beendet sei, überraschte er sie mit einer weitschweifigen Erzählung des alten Brauchs, nach dem ein König nur zweimal sieben Jahre herrschen durfte, und mit der großspurigen Erklärung, daß er sich diesem Brauch beugen werde; mehr noch, er werde genau das tun, was seine Vorväter getan hätten: Er werde für einen Tag seine Würde niederlegen, und an diesem Tag werde sein Sohn und künftiger Nachfolger, Absyrtos, König in Kolchis sein. Dies werde den Sitten unseres Volkes mehr als Genüge tun; denn soweit würden wir ja wohl nicht gehen zu verlangen, daß nach den ältesten Ritualen entweder er, der alte König, oder sein junger Stellvertreter geopfert werden müsse.

Die Leute verwandelten sich von Forderern in Bittsteller, denen es die Sprache verschlug und die betreten abzogen. Mag sein, wir hätten geistesgegenwärtiger reagieren können, wenn nicht just in diesen Tagen die Argonauten überall herumgestreunt, uns überall in die Quere gekommen wären, wir hatten zu tun, sie abzulenken. Sie sollten nichts merken. Sie merkten nichts. Der König nutzte die Situation aus, er handelte schnell und klug. Mit angemessenem, nicht übertriebenem Ritual legte er sein Amt nieder und setzte dich, armer Bruder, zum König ein. Ich sehe dich noch, in kostbare Gewänder gehüllt, winzig auf dem mächtigen Holzthron, und daneben, bescheiden, in einfacher Kleidung, der Nichtmehrkönig Aietes. Ich verstand nicht, was vorging, das ist meine einzige Entschuldigung, doch die Beklemmung, die ich deinem Gesicht ablas, sprang auf mich über.

Ich weiß immer noch nicht genau, wie er es gemacht hat. Vielleicht hat er gar nicht viel machen müssen. Vielleicht hat er anfangs nichts anderes vorgehabt als das, was er uns sagte, und hat den Gedanken, dich zu töten oder töten zu lassen, erst später gefaßt, als ihm klar wurde, sein trickreiches Vorgehen würde sein Problem nicht lösen. Vielleicht hat er die Trauer um seinen Sohn später nicht einmal vorgetäuscht. Wenn beides möglich gewesen wäre, an der Macht bleiben und dich behalten, so hätte er gerne beides gehabt, Bruder. Der Augenblick, da er erkannte, beides war nicht möglich, muß ihn das Grauen gelehrt haben. Aber dann wählte er, wie es ihm entsprach, die Macht. Und als ihr Mittel die Einschüchterung.

Vielleicht hat einer seiner Günstlinge den Frauen einen Wink gegeben, dieser fanatischen Gruppe alter Weiber, deren Lebenssinn es war durchzusetzen, daß wir in Kolchis in jeder winzigsten Einzelheit so leben sollten wie unsere Vorfahren. Wir nahmen sie nicht ernst, das war ein Fehler, auf einmal stellte sich in Kolchis eine Kräfteverteilung her, die diesen Weibern günstig war, so daß sie ihre Stunde für gekommen hielten und, entzückt von der neuerlichen Anwendung der alten Gesetze durch den König, nun auch alle vorgeschriebenen Konsequenzen vollzogen sehen wollten; denn nur einer konnte überleben, der König oder sein Stellvertreter, und als es Mitternacht war, dein Tag als König, Bruder, beendet, da sind sie, durch einen Eingang, der in jener Nacht merkwürdigerweise nicht bewacht wurde, was sie merkwürdigerweise wußten, in deine Gemächer eingedrungen, wo sie dich ungeschützt im Bad finden und unter Absingen ihrer schauerlichen Gesänge töten konnten. So ist es Brauch gewesen in den alten Zeiten, auf die auch wir uns ja berufen hatten, weil wir uns einen Vorteil davon versprachen. Und seitdem ist mir ein Schauder geblieben vor diesen alten Zeiten und vor den Kräften, die sie in uns freisetzen und derer wir dann nicht mehr Herr werden können. Irgendwann muß aus diesem Töten des Stellvertreterkönigs, das alle guthießen, auch er selbst, irgendwann muß daraus Mord geworden sein, und wenn dein furchtbarer Tod mich etwas gelehrt hat, Bruder, dann dies, daß wir nicht nach unserem Belieben mit den Bruchstücken der Vergangenheit verfahren können, sie zusammensetzen oder auseinanderreißen, wie es uns gerade paßt. Dadurch, daß ich das nicht verhinderte, daß ich es noch beförderte, habe ich zu deinem Tod beigetragen. Agameda meinte etwas anderes, als sie es mir neulich vorwarf, und doch wurde ich blaß. Ich werde jedesmal blaß, wenn ich an dich denke, Bruder, und an diesen Tod, der mich aus Kolchis wegtrieb. Agameda hat keine Ahnung. Haß macht blind. Aber warum haßt sie mich. Warum werde ich gehaßt.

Ob sie mir meinen Unglauben anspüren, meine Glaubenslosigkeit. Ob sie das nicht ertragen. Als ich über den Acker lief, über den sie deine zerstückelten Gliedmaßen gestreut hatten, die wahnsinnigen Weiber, als ich heulend in der einfallenden Dunkelheit über diesen Acker lief und dich einsammelte, armer geschundener Bruder, Stück für Stück, Bein um Bein, da hörte ich auf zu glauben. Wie sollten wir in neuer Gestalt auf diese Erde zurückkommen können. Warum sollten die über das Feld verstreuten Glieder eines toten Mannes dieses Feld fruchtbar machen. Warum sollten die Götter, die andauernd Beweise von Dankbarkeit und Unterwerfung von uns verlangen, uns sterben lassen, um uns dann wieder auf die Erde zurückzuschicken. Dein Tod hat mir die Augen aufgerissen, Absyrtos. Zum erstenmal fand ich Trost darin, daß ich nicht immer leben muß. Da konnte ich diesen aus Angst geborenen Glauben loslassen; richtiger, er stieß mich ab.

Ich habe noch niemanden getroffen, mit dem ich darüber sprechen könnte. Hier fand ich einen, der glaubt so wenig wie ich: Akamas, aber der steht auf der anderen Seite. Wir wissen viel voneinander. Ich sage ihm, nur mit den Augen, daß ich seine tief eingefressene Gleichgültigkeit durchschaue, die nur seine eigene Person ausläßt, er sagt mir, nur mit den Augen, daß er meinen tief eingefressenen Zwang, mich in die Angelegenheiten anderer Leute einzumischen, unreif und komisch findet. Und in letzter Zeit gefährlich. Er warnt mich, nur mit den Augen, ich aber stelle mich ahnungslos. Ich will es jetzt wissen.

Ich bin mit Jason gegangen, weil ich in diesem verlorenen, verdorbenen Kolchis nicht bleiben konnte. Es war

eine Flucht. Nun habe ich den gleichen Zug von Anmaßung und Furcht, den unser Vater Aietes zuletzt zeigte, im
Gesicht des Königs Kreon von Korinth gesehen. Unser Vater konnte mir nicht in die Augen blicken bei den Toten-
ritualen für dich, seinen geopferten Sohn. Dieser König
hier hat keine Gewissensbisse, wenn er seine Macht auf einen Frevel gründet, er sieht jedem frech ins Gesicht. Seit
Akamas mich mitgenommen hat, über den Fluß, in die Totenstadt, wo die reichen und angesehenen Korinther in
prunkvoll ausgestatteten Grabkammern bestattet werden.
Seit ich gesehen habe, was sie ihnen mitgeben, damit sie
den Weg ins Totenreich überstehen, wohl auch, damit sie
sich den Zutritt erkaufen können, Geld, Schmuck, Nahrung, sogar Pferde, manchmal auch Dienstboten, seitdem
kann ich dieses ganze herrliche Korinth nur noch als das
vergängliche Gegenbild zu jener ewigen Totenstadt sehen,
und mir scheint, sie regieren auch hier, die Toten. Oder es
regiert die Angst vor dem Tod. Und ich frage mich, hätte
ich nicht in Kolchis bleiben sollen.

Aber jetzt holt Kolchis mich ein. Deine Knochen, Bruder, habe ich ins Meer geworfen. In unser Schwarzes
Meer, das wir liebten und das du, da bin ich sicher, als dein
Grab hättest haben wollen. Im Anblick der Schiffe aus
Kolchis, die uns verfolgten, und im Angesicht unseres Vaters Aietes stand ich auf der »Argo« und warf dich stück-
weis ins Meer. Da ließ Aietes die kolchische Flotte abdre-
hen, zum letzten Mal sah ich das vertraute Gesicht, ver-
steint vom Schrecken. Auch meinen Argonauten ist dieses
Bild in die Glieder gefahren: eine Frau, die unter wilden
Schreien die Knochen eines Toten, die sie bei sich trug, gegen den Wind ins Meer wirft. Ich müsse mich nicht wun-
dern, meint Jason, wenn ihnen das Bild jetzt wieder einfällt

und sie unsicher macht, was sie denken sollen, so daß sie nicht als Zeugen für mich auftreten wollen. So traut ihr mir zu, habe ich ihn gefragt, daß ich meinen eigenen Bruder getötet, zerstückelt und dann in einem Fellsack mit auf die Reise genommen habe? Er wand sich, mein guter Jason. Er ist mir die Antwort schuldig geblieben.

All die Jahre über, Bruder, habe ich nicht von dir träumen können. Jetzt sind, mit den Erinnerungen, auch meine Träume erwacht. Nacht für Nacht schäumt die See noch einmal hoch auf, Nacht für Nacht verschlingt sie noch einmal deine Gebeine, Nacht für Nacht vergieße ich endlich die Tränen, die ich dir damals schuldig blieb. Und Nacht für Nacht ertasten meine Fingerspitzen die feinen Knöchelchen, die ich in jener Höhle unter dem Palast fand, den schmalen Schädel, das kindliche Schulterblatt, die zerbrechliche Wirbelsäule. Iphinoe. Sie ist mehr deine Schwester, als ich es je sein konnte. Wenn ich in Tränen erwache, weiß ich nicht, habe ich um dich geweint, Bruder, oder um sie.

Ich weiß, die Argonauten versuchten Jason zu bereden, mich dem Vater auszuliefern. Ich hatte ihnen durch meine unüberlegte Flucht die kolchische Flotte auf den Hals gehetzt. Es war dicht davor, daß sie mich über Bord warfen, damit die Verfolger, meine Kolcher, mich auffischten. Jason hielt sich wacker. Ich stünde unter seinem Schutz. Es war mir neu, unter dem Schutz eines Mannes zu stehen. Er war verwirrt und unsicher. Seine Leute fingen an, von Entsühnung zu reden. Es wäre hilfreich, wenn wir etwas täten, um die Götter über den Tod des Absyrtos zu beruhigen, und wenn wir meine Flucht aus Kolchis und Jasons Mithilfe dabei in diese Entsühnung mit einbezögen. Ich wehrte mich gegen dieses Ansinnen, das ein Eingeständnis von

Schuld in sich barg, aber ich sah, wie dringend Jason dieser Entsühnung bedurfte. Wir waren gerade in der Nähe der Insel, auf der Kirke, meiner Mutter Schwester, seit vielen Jahren lebte. Lyssa erinnerte mich daran, plötzlich erinnerte auch ich mich an einen wilden roten Haarbusch, warum eigentlich nicht, dachte ich, warum nicht diese Verwandte einmal wiedersehen, deren Ruf als Zauberin weit über ihre Insel hinausgedrungen war. Auch die Argonauten hatten von ihr gehört und weigerten sich, mit Jason und mir zu gehen, es hieß, Kirke verzaubere Männer in Schweine. Sie steuerten eine verborgene Bucht an und setzten uns aus.

Wir trafen die Frau am Ufer, sie wusch ihr flammend rotes Haar und ihr weißes Gewand im Meer, wir sahen in ihr zerklüftetes, furchterregendes Gesicht, sie schien zu wissen, wer da kam, sie hatte uns erwartet, sie sagte, während wir zu der Ansammlung von Holzhäusern im Innern der Insel gingen, in der sie mit einer Schar von Frauen wohnte, sie habe diese Nacht von Strömen von Blut geträumt, die auch über sie gekommen seien, und sie habe sich im Meer von diesem Blut reinigen müssen. Wir schwiegen, wie es diejenigen tun sollen, die zur Entsühnung kommen, wir hockten uns an ihren Herd und bestrichen unsere Gesichter mit Asche, dir zum Gedenken, Bruder. Kirke legte sich das weiße Priesterinnenband um die Stirn und nahm den Stab in die Hand, dann wollte sie wissen, welche Bluttat wir zu sühnen hätten, ich sagte, den Tod des Bruders. Absyrtos, sagte Kirke mit tonloser Stimme. Ich nickte. Unglückliche, sagte sie. Mich befiel eine unlöschbare Trauer, die jetzt wieder erwacht, wie auch mein Gedächtnis aufgerissen wird und all diese Erinnerungsbrocken auf einmal freiliegen, so wie jedes Jahr neue Steine auf dem Acker nach oben getrieben werden.

Kirke bespritzte uns mit dem Blut eines frisch geschlachteten Ferkels und murmelte dazu den Spruch, Blut soll von Blutschuld reinigen. Sie ließ uns aus verschiedenen Bechern trinken. Darauf schlief Jason ein, ich wurde hellwach. Wir hatten zwei Stunden. Die Zeit kam mir endlos vor, Kirke sagte mir so vieles, nachdem ich ihr erzählt hatte, warum ich Kolchis verlassen mußte, sie gab mir das Gefühl, daß sie meine Vorläuferin, ich ihre Nachfolgerin war, denn auch sie war vertrieben worden, als sie mit ihren Frauen ernsthaft gegen den König und seinen Hofstaat auftrat, sie hetzten die Leute gegen Kirke auf, lasteten ihr Verbrechen an, die sie selbst begangen hatten, und brachten es fertig, ihr den Ruf einer bösen Zauberin anzuhängen, ihr alles Vertrauen zu entziehen, so daß sie nichts, gar nichts mehr tun konnte. Ihre letzte Heilung, das hatte ich auch nicht gewußt, Bruder, vollbrachte sie an der Mutter und dir, du wärst unter der Geburt beinahe erstickt, weil die Mutter nicht mehr die Kraft hatte, dich aus sich herauszupressen. Da hat Kirke mit ihren schmalen kräftigen Händen in sie hineingegriffen, hat dich gedreht, so daß dein Kopf zuerst austreten konnte, und hat dich geholt, und dann hat sie eine Nacht lang mit allen Mitteln, die sie kannte und die sie mir weitersagte, versucht, Idyas Blut zu stillen. Der Mutter Lebenswille sei fast erloschen gewesen, da habe sie, Kirke, ihr dich auf die Brust gelegt, ein winziges Bündel, und sie angeschrien, dieses Kind werde sterben, wenn sie, die Mutter, verblute. Nach kurzer Zeit hörte die Blutung auf. Dein Tod, Bruder, ging ihr nahe. Kolchis hatte sie aufgegeben.

Sie kannte mehr von der Welt als wir. Sie mußte sich von

ihrer Insel nicht wegrühren, man kam zu ihr, die Schiffe vieler Herren Länder befuhren diesen Teil des Mittelmeeres, in den Hafenkneipen an allen Küsten erzählten sie sich von Kirke. Weißt du, was sie suchen, Medea? fragte sie mich. Sie suchen eine Frau, die ihnen sagt, daß sie an nichts schuld sind; daß die Götter, die sie zufällig anbeten, sie in ihre Unternehmungen hineintreiben. Daß die Spur von Blut, die sie hinter sich herziehen, zu ihrem von den Göttern bestimmten Mannsein gehört. Große schreckliche Kinder, Medea. Das nimmt zu, glaub mir. Das greift um sich. Auch dein Junge da, an den du dich gehängt hast, bald wird er sich an dich klammern. Das Übel sitzt schon in ihm. Aber Verzweiflung ertragen sie alle nicht, zum Verzweifeln haben sie uns abgerichtet, einer muß ja trauern, oder eine. Wenn sie nur noch von Schlachtenlärm und Geheul und dem Wimmern der Niedergeschlagenen erfüllt sein würde, dann bliebe sie einfach stehen, die Erde, meinst du nicht.

Wie habe ich das alles so lange vergessen können. Erst jetzt fällt mir wieder ein, ich bat Kirke darum, bei ihr bleiben zu dürfen, bei ihr und den Frauen. Einen Lidschlag lang lebte ich ein Leben an ihrer Seite, auf dieser Insel, unter diesem göttlichen Licht. Die Schiffe kamen und gingen, Männer kamen und gingen, getröstet, geheilt oder auch nicht. Kirke dachte das gleiche im gleichen Augenblick. Dann sagte sie, ich dürfe nicht bleiben. Ich sei eine von denen, die inmitten dieser Leute leben, die erfahren müßten, woran wir wirklich mit ihnen sind, und die versuchen müßten, ihnen die Angst vor sich selber zu nehmen, die sie so wild und gefährlich mache. Und sei es nur bei diesem einen da, dem Jason.

Wie habe ich das alles vergessen können. Ja, sagte Kirke

auf meine Frage und lachte dazu, es sei schon vorgekommen, daß sie eine Horde Männer als Schweine von der Insel gejagt habe, das, habe sie gedacht, könne ihnen vielleicht zu einem Funken Selbsterkenntnis verhelfen. Weißt du was, Medea, sagte Kirke zu mir, weißt du, was ich glaube? Ich werde mit der Zeit wirklich böse werden. Nach und nach werde ich böse werden und nur noch fluchend am Ufer stehen und keinen mehr auf die Insel lassen, es läuft ja die ganze Bosheit und Gemeinheit und Niedertracht, die sie über mich ausschütten, nicht einfach wie Wasser an mir ab.

Wie konnte ich das vergessen. Wie konnte ich vergessen, daß auch ich mir gewünscht habe, ich möge im rechten Moment böse werden, wirklich böse. Und jetzt, Absyrtos, wäre dieser rechte Moment.

Leider bin ich nur fassungslos. Weil alles so durchsichtig ist, so leicht durchschaubar. Weil ihnen das gar nichts ausmacht. Weil sie mir mit eiserner Stirn ins Gesicht sehen können, während sie lügen, lügen, lügen. Nicht lügen können ist eine schwere Behinderung. Mir fällt unser Kinderspiel ein, Bruder, wir wollten lügen lernen. Wer von uns der Mutter oder dem Vater eine bestimmte Lüge so treuherzig auftischen konnte, daß sie sie glaubten, hatte gewonnen. Meistens wurden wir lachend weggeschickt, wir waren beide nicht besonders gut in diesem Spiel. Die hier, Absyrtos, sind Meister im Lügen, auch im Sich-selbst-Belügen. Von Anfang an habe ich mich gewundert über die Verhärtungen an ihren Körpern. Daß ich nichts spürte, wenn ich meine Hand auf ihren Nacken, ihren Arm, ihren Bauch legte, kein Fließen, Strömen. Nichts als Härte. Wie lange ich brauchte, diese Härte aufzutauen, wie unwillig sie waren, wie sie sich wehrten. Wie sie sich gegen Mitgefühl wehrten. Wie sie sich dann manchmal in Tränen auflösten, gestandene Männer. Wie sie oft nicht wiederkamen, mich nicht zu sich ließen, weil sie sich schämten. Ich mußte das erst begreifen lernen, Jason half mir dabei.

Er war ein herrlicher Mann. Sein Gang, seine Haltung, das Spiel seiner Muskeln bei den Manövern auf dem Schiff – ich mußte ihn immer ansehen, und als einige seiner Argonauten von den Kolchern verwundet waren, haben Jason und ich sie versorgt, er wußte Bescheid, auch er kannte die Griffe, die Heilmittel. Näher bin ich ihm nie gewesen als in jener Nacht, da wir Hand in Hand arbeiteten, uns ohne Worte verständigten. So hatte ich nichts dagegen, seine Frau zu werden, und nicht nur, weil der König auf Korkyra, wo wir Zuflucht gesucht hatten, mich sonst an die zweite Kolchische Flotte ausgeliefert hätte, die Befehl hatte, nicht ohne mich nach Hause zu kommen. So vollzogen wir noch in der Nacht die vorgeschriebenen Hochzeitszeremonien und hielten das Beilager, in der Grotte der Makris, der alten Göttin, unter deren Schutz ich mich inständig begab, und ich legte meinen Schmuck auf ihrem Altar nieder. Ich habe seitdem keinen Schmuck mehr getragen, das war mein Gelübde an die Göttin, sie verstand mich. Ich legte meinen Rang ab. Ich war eine gewöhnliche Frau, in ihrer Hand. So gab ich mich Jason hin, ohne Rückhalt, und band ihn dadurch an mich. Ich weiß noch, wie ich in seine Schultern griff, als er auf mir lag, wie ich jeden einzelnen Muskel fühlte, seine Anspannung, sein glückliches Erschlaffen. Und wie weh mir wurde, als sich auch seine Schultern, wie die der anderen Männer von Korinth, allmählich verhärteten. Wie er aufhörte, darunter zu leiden. Ein Mann bei Hofe wurde. Für euch, sagte er. Für dich und die Kinder. Daß sie dich hier sein lassen. Da sagte er schon euch, nicht mehr uns, das war der Schnitt. Ein Schmerz, der nicht vergehen will.

König Kreon kann versuchen, mich zu beleidigen und mich einzuschüchtern, indem er seine steinerne Miene aufsetzt, gruß- und blicklos an mir vorbeigeht. Es läßt mich kalt. Akamas mag auf mich einreden, ich solle die Suche nach diesem Toten aufgeben, auf den ich in der Höhle gestoßen sei, dann würde das Gerücht, ich hätte meinen Bruder umgebracht, von selbst wieder einschlafen; da sage ich, woher er denn wisse, daß dieser Tote ein Mann gewesen sei. Dann wird er blaß und beißt seine Zähne aufeinander, daß seine Backenknochen hervortreten, und fragt mich, drohend: Was weißt du, Medea. Ich schweige.

Aber wenn Jason, außer sich vor Angst und Sorge, mich das gleiche fragt und wenn auch er versucht, mich zum Verstummen zu bringen, dann läßt mich das nicht kalt. Dann sage ich ihm, was ich weiß: Daß da in der Höhle die Gebeine eines Mädchens liegen, eines Kindes fast, in deinem Alter, Bruder. Und daß es die Knochen der Königstochter sind, der ersten Tochter von König Kreon und der Königin Merope, der stummen Königin, die zu mir gesprochen hat, als ich sie in ihrem finsteren Gemach besuchte und nur noch ein Ja oder Nein brauchte auf meine Frage, die der Wahrheit schon auf der Spur war. Die Antwort kam aus schmalen Lippen. Er hat es befohlen, sagte Merope. Er hat sie aus dem Weg haben wollen, Iphinoe. Er hatte Angst, wir würden sie an seine Stelle setzen. Und das wollten wir auch. Wir wollten Korinth retten.

Die Kälte, die ich spürte, verläßt mich nicht mehr. Eine der knochigen Mägde brachte mich hinaus. Ich irrte in den Höfen des Palastes herum, den Stein in der Brust, den ich nicht mehr loswerde. Sie hatten Korinth retten wollen.

Wir hatten Kolchis retten wollen. Und ihr, dieses Mädchen Iphinoe und du, Absyrtos, ihr seid die Opfer. Sie ist mehr deine Schwester, als ich es je sein kann.

Ich hätte Kolchis nicht verlassen müssen. Nicht dem Jason zu seinem Vlies verhelfen. Nicht die Meinen zum Mitkommen überreden. Nicht diese lange schlimme Überfahrt auf mich nehmen, nicht all diese Jahre als halb gefürchtete, halb verachtete Barbarin in Korinth durchleben. Die Kinder, ja. Aber was werden sie vorfinden. Auf dieser Scheibe, die wir Erde nennen, gibt es nichts anderes mehr, mein lieber Bruder, als Sieger und Opfer. Nun verlangt es mich zu wissen, was ich finden werde, wenn es mich über ihren Rand hinaustreibt.

5

Sobald die Weiber uns gleichgestellt sind,
sind sie uns überlegen.

Cato

Akamas

O über diese Ahnungslose. Es sind die Ahnungslosen, die uns ins Verderben stürzen. Daß es so etwas noch gibt, hatte ich nicht für möglich gehalten. Zwar gingen ihr Gerüchte voraus, die einen neugierig machen mußten, Seefahrer, die bei uns an Land gingen, waren der »Argo« begegnet und auch jener Frau, in irgendeinem der Häfen um unser Großes Meer herum, der ganze Klatsch und Tratsch der Hafenkneipen wurde an unsere Küste gespült, ich wüßte nicht, was in jenen Tagen mehr Aufsehen erregte als die Abenteuer der Argonauten und worüber man sich mehr die Mäuler zerriß als über die Frau, die bald die schöne Wilde hieß. Ich kenne die Menschen, das darf ich wohl sagen, ich kenne ihre merkwürdigen ununterdrückbaren Bedürfnisse, ich kenne ihre wuchernde Phantasie und ihren Hang, die Auswüchse dieser Phantasie für bare Wirklichkeit zu nehmen, aber an dieser Frau mußte etwas sein, was ihre Gehirne entzündete und sie nicht losließ.

König Kreon, der sich mit seinen Vettern auf den Thronen der umliegenden Länder auskennt, hat ziemlich klar vorausgesehen, was passieren würde. Daß Jason die Eroberung des Goldenen Vlieses nichts nützen werde, weil sein Onkel, der Usurpator, ihm den Thron nicht abtreten werde. Daß er niemanden fände, der für sein Erbe kämpfen würde. Daß er also, mitsamt seiner Frau und ihrem Anhang, nach einem Ort suchen müßte, an dem er unterkriechen könnte. Dieser Ort, sagte König Kreon im Ältestenrat, wird Korinth sein. Er kannte diesen Neffen nicht, aber er hatte sich nach ihm erkundigt, die Berichte seien nicht ungünstig, sagte er. Die Erziehung, die dieser Jason bei Cheiron in den thessalischen Wäldern bekommen habe, sei zwar nicht mit der zu vergleichen, die der Sohn eines Königs bei uns im Palast genösse, doch habe sie immerhin bestimmte Fähigkeiten gebildet, andere gezähmt, Wildwuchs beschnitten. Den Rest trauten wir uns doch wohl zu, einem aufnahmefähigen jungen Mann anzuerziehen. Wir nickten alle. Immerhin gab es an diesem Hof keinen männlichen Erben, nur eine Tochter, die arme Glauke. Auch die Auguren dachten sich ihr Teil, versteckten die Augen und murmelten mit den Mündern Zustimmung. Als sie gingen, hielt Kreon mich zurück, das schmeichelte mir, doch wäre es mir lieber gewesen, er hätte mich nicht vor aller Augen ausgezeichnet und den Neid der anderen geweckt.

Was denkst du, Akamas. Er hatte sich angewöhnt, mich ins Vertrauen zu ziehen, und ich hatte jedesmal neu herauszufinden, ob er Offenheit von mir wollte oder nur die Bestätigung seiner Meinung. Ich sagte, ein junger Mann von Jasons Statur werde dem Palast von Korinth wohl anstehen. Gut, gut, aber was noch? Da wäre noch diese Frau, Kreon, sagte ich. Ich weiß, sagte Kreon. Man wird sie sich ansehen, nicht? So ist es, sagte ich. Ich hatte das Nötige für die Ankunft Jasons und der Seinen zu veranlassen.

Wenige Wochen später, an einem windigen, trüben Herbsttag, segelten die »Argo« und die Schiffe der Kolcher, die Medea begleitet hatten, in unseren Hafen. Ein Lotsenschiff unserer Flotte wies sie ein, einige mittlere Beamte des Palasts waren zu ihrem Empfang abgeordnet. Ich stand etwas abseits und wartete auf die Frau. Sie kam, von Jason am Ellenbogen gestützt, mit freiem, schwerem Schritt den Landesteg herunter. Sie war hochschwanger, blaß, erschöpft, hohläugig, die Überfahrt bei schwerer See war zuviel für sie gewesen, die Frauen, die sich um sie bemühten, hatten gefürchtet, sie würde auf diesem rollenden, sich aufbäumenden Schiff niederkommen. Ich sah, daß sie schön war, und verstand Jason. Dann stand sie vor mir, und ich sah ihre Augen, die Goldfunken in der grünen Iris. Ihre Augen waren lebhaft und hellwach. Solange eine Frau kalte Füße hat, geht die Geburt nicht los, sagte sie, das waren die ersten Worte, die ich von ihr hörte. Die Kolcher scharten sich um sie wie vom Gewitter verstörte Hühner um die Glucke, eine dunkle geduckte Schar an einem düsteren Strand, über den niedrig die Wolken jagten. Ausgesetzt, dachte ich. Nie soll uns das passieren.

Jason nannte mir die Namen der wenigen Argonauten, die noch bei ihm waren, artig bedankte er sich für die Aufnahme, die die Flüchtenden bei uns finden sollten. Ich mußte ihn daran erinnern, daß er vergessen hatte, mir seine Frau vorzustellen. Das verwirrte ihn entsetzlich. Medea lachte. Nach ihren Augen war es ihr Lachen, an dem man sie erkannte. Ich habe dieses Lachen länger nicht mehr gehört, ich weiß schon, daß wir es sind, die es erstickt haben, leider muß man manches tun, was einem selbst nicht gefällt.

Noch in der gleichen Nacht brachte sie ihre Kinder zur Welt, es waren Zwillinge, halt, es sind Zwillinge, muß ich sagen, zwei Jungen, gesund und kräftig, der eine blond wie Jason, der andere dunkel und kraushaarig wie sie. Darüber mußte sie wieder unbändig lachen. Die Geburt war nicht schwer. Manchmal hörten wir, die wir uns auf dem

Gang zu schaffen machten, aus Medeas Zimmer die Frauen, die bei ihr waren, miteinander schwatzen, sogar singen. Lyssa, von den Palastbediensteten nach der ungewohnten Fröhlichkeit befragt, gab Bescheid, die Geburt sei ein Fest, so solle man sie auch feiern. Es nimmt mich nicht wunder, daß manche unserer Frauen, auch die hochgestellten, sich von den Kolcherinnen ihre Art zu gebären beibringen ließen, aber in den Palast lassen unsere hochgelehrten Ärzte der Kolcherinnen Heilkunst nicht eindringen. Und sie haben recht damit, die Heilweisen der Kolcherinnen passen nicht zu uns. Wenn bei ihnen ein Kind geboren wird, könnte man denken, es sei seine einzige Aufgabe, auf dieser Welt zu sein, und allein dafür gebühre ihm alle Liebe und alle Zuwendung. Das mag ja schön und gut sein, nur ist das natürlich primitiv, und es hat doch keinen Sinn, nach all den Anstrengungen, die man auf sich genommen hat, um sich aus dieser vielleicht warmen, aber doch vor allem beengenden Bruthöhle freizumachen, bei der ersten Gelegenheit wieder in sie zurückzufallen. Die Frauen, nun ja. An manchen konnte man eine merkwürdige Lust beobachten, mit den Fremden zusammenzuhokken, als sei ein Zwang von ihnen genommen. Die nachdenklich distanzierten Blicke, mit denen sie anfingen, ihre Gatten zu mustern. Mir machte das eigentlich Spaß. Ich bin ja kein Freund dieser biederen Männer. Ein Freund dieser sich kühl gebenden Frauen bin ich auch nicht. Ich habe etwas gegen diese klebrigen Freundschaften. Agameda spürt das. Sie ist mir ähnlich. Nun wird es ja sowieso bald vorbei sein mit dem heimlichen Ruhm der Medea als Heilerin. Wer wird noch zu einer Frau gehen, die ihren Bruder ermordet hat. Man muß manches tun, was einem wenig behagt.

Anfangs war sie zutraulich, das hatte durchaus seinen Reiz. Für mich war es kurios, meine Stadt mit ihren Augen zu sehen. Warum, konnte sie fragen, warum gibt es diese zwei Kreons. Der eine steif im Thronsaal, der andere lokker bei Tisch, wenn wir unter uns sind. Mir war nie der Gedanke gekommen, daß es anders sein könnte. Damals nämlich speiste König Kreon mit Jason, Medea und mir, da fühlte er sich wohl und ließ sich gehen. Manchmal war die arme Glauke dabei, die eine nervöse Bewunderung für Medea faßte. Ihr Vater, der König, beachtete sie nicht. Das Gerücht geht um, daß Medea ihre Fallsucht heimlich behandelt, und in der Tat scheint Glauke sich zu erholen, schade, daß ich das werde unterbinden müssen. Auf ihre ahnungslosen Fragen versuchte ich Medea klarzumachen, daß Kreon als König nicht Kreon ist oder irgendein anderer beliebiger Mann, überhaupt keine Person, sondern ein Amt, eben der König. Der Arme, sagte sie dann. Erst kürzlich hat Agameda mir gesagt, dabei denke Medea an ihren Vater, den König von Kolchis. Wunderliche Frau.

Ich gab einer verqueren Regung nach und erklärte Medea, wie Korinth funktioniert, was auch bedeutete, sie nach und nach wissen zu lassen, auf welche Weise ich meine Macht ausübe, zu der gehört, daß sie unsichtbar bleibt und jedermann, besonders der König, fest überzeugt ist, er allein, Kreon, sei die Quelle der Macht in Korinth. Ich konnte dem Kitzel nicht widerstehen, die Einsamkeit und Verschwiegenheit, zu der ich verurteilt bin, zu durchbrechen und diese Frau, die nicht von unserer Welt ist, zu einer Art Vertrauten zu machen; es erheiterte mich, daß sie das Geschenk, das ich ihr machte, gar nicht zu schätzen wußte, weil sie es für selbstverständlich hielt. Das war die Zeit, da wir uns solche Spiele mit Fremden noch leisten konnten. Wir waren unserer selbst und unserer Stadt sicher, der oberste Astronom des Königs konnte sich den Luxus erlauben, einer Zugewanderten, die uns niemals und unter keinen Umständen gefährlich werden konnte, zu erläutern, worauf der Glanz und der Reichtum seiner Stadt beruhen. Denn alles kommt ja darauf an, was man wirklich will und was man für nützlich, also für gut und richtig hält. Diesen Satz bestritt Medea nicht ganz und gar, nur das wichtige »also« in seiner Mitte lehnte sie ab. Was nützlich sei, müsse nicht unbedingt gut sein. Götter! Wie hat sie mich und vor allem sich selbst mit diesem Wörtchen »gut« gequält! Sie gab sich Mühe, mir zu erklären, was sie in Kolchis angeblich unter gut verstanden hätten. Gut sei gewesen, was die Entfaltung alles Lebendigen befördert habe. Also Fruchtbarkeit, sagte ich. Auch, sagte Medea, und sie fing an, von gewissen Kräften zu reden, die uns Menschen mit allen anderen Lebewesen verbänden und die frei fließen müßten, damit das Leben nicht ins Stocken käme. Ich verstand. Auch bei uns in Korinth gibt es eine kleine Schar von Schwärmern, die solche Reden führt, aber dies ernstlich anzustreben, hielt ich ihr entgegen, würde dem Menschen, wie er nun mal sei, jedes Leben in einer Gemeinschaft unmöglich machen. Sie dachte nach. Das kommt darauf an, sagte sie. Worauf denn, Medea. Laß mich, sagte sie, es dämmert mir, ich kann es noch nicht ausdrücken.

Immer anregend, mit ihr zu reden. Ich verstand aber auch, daß sie Leuten auf die Nerven gehen konnte. Dem Kreon gönnte ich das ja, er ist kein heller Kopf, sieht sich schnell in die Enge getrieben und verlangt dann von mir, daß ich ihn da heraushole, damals leistete ich mir das Vergnügen, seine Signale zu übersehen und zu überhören und mich dumm zu stellen. Die Frau sei zu schlau, fand er, und zu vorlaut. Vor allem war sie ihm unheimlich. Sie war, wie soll ich das ausdrücken, zu sehr Weib, das färbte auch ihr Denken. Sie fand, aber warum spreche ich von ihr eigentlich in der Vergangenheitsform, sie glaubt, die Gedanken hätten sich aus den Gefühlen heraus entwickelt und sollten den Zusammenhang mit ihnen nicht verlieren. Veraltet natürlich, überholt. Kreatürliche Dumpfheit, sagte ich dazu. Schöpferische Quelle sie. Nächtelang stand sie neben mir auf der Terrasse meines Beobachtungsturms und erklärte mir die Astronomie der Kolcher, die von Frauen betrieben wird und auf den Mondphasen beruht, und von mir ließ sie sich unsere Namen für die Sternbilder sagen, ihren Lauf beschreiben und die Schlüsse benennen, die ich aus dem Gang der Gestirne, aus ihrer Konstellation, für unser eigenes Schicksal herauslese. Wir lauschten der Sphärenmusik, einem kristallenen Klingen, auf das unsere Ohren nicht eingestimmt sind, das sie aber in seltenen Momenten äußerster Konzentration dennoch wahrnehmen können. Medea war die erste Frau, die diesen Ton im gleichen Augenblick wie ich vernahm. Als striche ein gewaltiger Bogen über eine vibrierende Saite, sagte sie. Genauso war es. In jener Nacht, das gebe ich zu, erschütterte mich dieses Erlebnis stärker als sonst, und auf andere Weise.

Daß sie meinen Voraussagen, die ich aus dem Sternenhimmel zu ziehen hatte, nicht folgen wollte, kränkte mich. Schließlich haben wir in Korinth eine uralte Tradition des Sterndeutens, die Reihe meiner Vorgänger, deren Namen wir ehrfürchtig überliefern, ist lang, und wenn ich mir auch Gedanken abseits der vorgegebenen Bahnen erlaube, so verdrängt dies doch nicht den Wunsch, mich dieser Reihe dereinst anschließen zu dürfen und dadurch in der Erinnerung meiner Landsleute fortzuleben. Warum? fragte da nun wieder Medea. Ich konnte nicht umhin zu bemerken, sie nähere sich mit ihren Fragen einem Bereich, um den ich eine Grenze gezogen hatte, die niemand überschreiten durfte. Ich könnte auch sagen, ihre Fragen machten mir erst deutlich, daß es diesen Bereich gab, und holten all die schmerzlichen und peinlichen Anlässe wieder herauf, die mich gezwungen hatten, ihn mir zu schaffen. Jetzt wurde ich unwirsch. Warum, warum! rief ich aus. Warum will man fortleben! Die Frage erübrige sich doch. Sie schwieg auf die Weise, die stärker als alle Worte zu verstehen gab, sie war nicht einverstanden. Also was ist, fing ich dann wieder an, du willst nicht in der Erinnerung deiner Leute fortleben, oder was. Darüber habe sie noch nicht nachgedacht. Das könne sie erzählen, wem sie wolle, mir nicht. Wieder dieses Schweigen. Es fing an, etwas wie Wut in mir zu erzeugen, eine Regung, die ich mir als meiner unwürdig abgewöhnt hatte. Viel später, in ganz anderem Zusammenhang, konnte sie dann plötzlich sagen: Bei uns werden alle Ahnen geehrt, weißt du. Manchmal mußte ich lachen.

Natürlich haben meine Korinther das Trüppchen der Einwanderer wie fremde Tiere bestaunt, nicht direkt unfreundlich, nicht direkt freundlich. Wir hatten damals ein paar gute Jahre, das merkt man ja immer erst später, wir sonnten uns in dem Staunen der Kolcher über unseren Wohlstand. Einige gute Ernten hintereinander, gefüllte Speicher, niedrige Lebensmittelpreise, hin und wieder eine öffentliche Speisung für die ärmeren Schichten, und die Abhängigkeit von den Hethitern kaum spürbar. Was mir aber genausoviel bedeutete: Die unglückselige Geschichte mit Iphinoe war endlich vergessen, beinahe auch von mir.

Niemand fragte mehr, ob sie denn wirklich von fremden Seeleuten entführt worden sei, um ehrenvoll mit deren jungem König verheiratet zu werden. Und, was ich nicht für möglich gehalten hätte, die Leute hatten sich damit abgefunden, daß Merope, ihre sehr geliebte Königin, auf Dauer krank war, in diesem entfernten Flügel des Palastes hauste und außer den beiden unsäglichen Weibern niemanden, ohne Ausnahme niemanden, zu sich ließ. Ich selber weiß nicht mal, ob ihr das befohlen wurde, ob also eine Art Verbannung über sie verfügt war, oder ob sie nach dem Vorfall mit Iphinoe von sich aus alles, was zum Palast gehörte, mied wie die Pest. Irgendwann habe ich aufgehört, danach zu fragen.

Ich war jung, als das alles geschah. Wir lebten in unruhigen Zeiten, die Völker rund um unser Mittelmeer waren in Bewegung, auch unsere Stadt war bedroht durch innere Zwietracht. Im Rat gab es zwei Parteien, die eine war Kreon ergeben, die andere stand hinter Königin Merope, die eine wichtige Stimme hatte, denn nach einer alten, längst sinnlos gewordenen Sitte hatte der König die Krone von der Königin geliehen bekommen, die Herrschaft vererbte sich in der mütterlichen Linie. Auf einmal sollten diese alten vergessenen Gesetze wieder Bedeutung bekommen, die beiden Parteien stritten sich erbittert. Es gab die Möglichkeit eines Bündnisses mit einer Nachbarstadt, das Korinth sicher und unangreifbar gemacht hätte, aber nur unter der Bedingung, daß Iphinoe den jungen König dieser Stadt heiraten und später Kreons Nachfolge antreten sollte. Viele Ratsmitglieder, unter ihnen Merope, fanden diese Vorschläge vernünftig, die Aussicht, Korinth aus der Umklammerung verschiedener großer Mächte zu befreien, hoch wünschenswert. Kreon war dagegen. Ohne oder gegen ihn konnte der Rat nichts durchsetzen. Merope wütete, ihr war klar, die Weigerung des Königs richtete sich gegen sie. Ich stand auf Kreons Seite. Es hat doch keinen Sinn, sagte er mir in einer vertraulichen Stunde, nach der sehr schwierigen, langwierigen, viel List, Geduld und Beharrlichkeit fordernden Entfernung der Merope von Einfluß und Macht nun in der Tochter Iphinoe und den Frauen, die sich an sie halten, die Hoffnung auf eine neue Weiberherrschaft zu befestigen. Nicht, daß er etwas gegen Frauen habe, die Geschichte der Völker rund um unser Meer gebe ja genügend Beispiele für erfolgreiche Frauendynastien. Nicht Eigennutz, nur die Sorge um Korinths Zukunft habe ihn bestimmt. Denn wer die Zeichen der Zeit zu lesen wisse, der sehe doch, daß sich unter Kämpfen und Greuel rundum Staaten bildeten, denen ein auf alte Weise frauengelenktes Korinth einfach nicht gewachsen wäre. Und sich gegen den Lauf der Zeit aufzulehnen habe keinen Sinn. Man könne nur versuchen, ihn rechtzeitig zu erkennen und zu verhindern, daß man von ihm überrannt werde. Der Preis, den man dafür zahlen müsse, könne allerdings sehr schmerzlich sein.

Unser Preis war Iphinoe. Ganz Korinth wäre untergegangen, wenn wir sie nicht geopfert hätten, sagte ich Medea. Was macht dich so sicher, sagte sie, es war klar, daß sie das fragen würde. Mir haben buchstäblich die Haare zu Berge gestanden, als diese haßgeschüttelte Agameda und dieser unsägliche Presbon mit ihrer Denunziation ankamen und als ich zu begreifen begann, daß Medea alles wußte. Daß sie in der Falle saß. Und zwar durch eigene Schuld, das machte mich noch wütender. Was mich so sicher mache, schrie ich, das frage sie mich, der ich die Ereignisse miterlebt und, ja, das dürfe ich sagen, mit durchlitten habe? Dagegen möge sie doch einmal nachdenken, ob es ihr wirklich zustehe, irgend jemanden darüber zu belehren, wie er sich seinem Land gegenüber zu verhalten habe oder gegenüber seinem Königshaus. Sie blieb merkwürdig ungerührt. Wie sie mit Kolchis und mit ihrer Flucht zurechtkomme, das solle ich ruhig ihr überlassen; aber ich solle doch wissen, diese ganze Stimmungsmache gegen sie, auf einer wissentlich falschen Beschuldigung aufgebaut, sei überflüssig. Sie habe niemals vorgehabt, über das zu reden, was sie in der Höhle gefunden, und über das, was sie erfahren habe. Und sie könne schweigen, das solle ich wissen. Nur für sich selber habe sie Klarheit haben wollen. Ob wir nicht einmal das ertragen könnten.

Wir standen uns als Feinde gegenüber. Bedauern darüber durfte in mir nicht aufkommen. Nur nicht gar so hochmütig. Nur nicht allzu selbstgewiß, meine liebe Medea, habe ich zu ihr gesagt. Stimmungsmache, sagst du. Wenn aber deine Landsleute, ohne Anstoß von uns, einfach von selber mißtrauisch geworden sind? Kommt es dir denn so abwegig vor, daß sie danach fragen, ob sie vielleicht unter Vorspiegelung falscher Tatsachen zur Flucht überredet worden sind? Ob da nicht vielleicht jemand ein ganz persönliches Interesse hatte, das Land zu verlassen, ehe noch der Brudermord ruchbar wurde?

Ich erwartete ihren flammenden Zorn, erntete aber Hohn. Abwegig? Allerdings. Höchst abwegig nach all den Jahren, und allzu passend für unsere Interessen. Die wir übrigens besser vertreten würden, wenn wir nicht diese maßlose Angst vor Enthüllungen hätten. Wenn es nämlich stimme, daß ohne den Mord an Iphinoe – sie sagte Mord – der Bestand von Korinth gefährdet gewesen wäre: Wieso trauten wir unseren Korinthern dann nicht zu, daß sie das jetzt, nach all diesen Jahren, verstünden. Daß sie einsichtig genug wären, ihr eigenes Weiterleben und ihr Wohlleben über das Leben eines jungen Mädchens zu stellen. Oder wollten wir unbedingt weiterheucheln und weiterlügen und all die Opfer in Kauf nehmen, die daraus folgen müßten. Denn ich müsse doch absehen können, schön werde es nicht werden, auch nicht für uns.

Sie wußte Bescheid. Ich dachte nicht daran, ihr auf solche Fragen zu antworten. Es kann ihr nicht entgangen sein, daß das Wohlleben meiner lieben Korinther direkt davon abhängt, daß sie sich für die unschuldigsten Menschen unter der Sonne halten können. Es ist doch lächerlich, anzunehmen, Menschen würden dadurch gebessert, daß man ihnen die Wahrheit über sie sagt. Mutlos und bockig werden sie dann, zügellos, unregierbar. Insofern entspricht es meiner Überzeugung, daß es richtig, ja das einzig Richtige war, das Opfer der Iphinoe insgeheim zu vollziehen, und daß diejenigen, die es anordneten, und die, die es ausführten, dafür zu loben sind, daß sie eine schwere Last für uns alle auf sich genommen haben. Ich war nicht dabei. Es soll nicht schön gewesen sein. Ich weiß ja, wie man einen jungen Stier am Altar opfert.

Man hat in jenem unterirdischen Gang einen Altar aufgerichtet, von Mord zu sprechen ist also ungeheuerlich. Das Mädchen, ein liebliches Kind, ich kannte es ja, wird ganz arglos gewesen sein. Merope, ihre Mutter, mußte in dem Teil des Palastes, den sie seitdem bewohnt, von vier Männern gehalten werden, man sagt, durch ihr irres Schreien habe sie ihre Stimme verloren, seitdem sei sie stumm. Kreon, der Vater, befand sich auf einer Schiffsreise zu den Hethitern, mit denen er Verträge aushandelte, die nur Böswillige Unterwerfung nennen konnten. Jetzt, das ist wahr, berufen die Hethiter sich auf gewisse Klauseln, die für Fälle vorgesehen waren, die nie eintreten sollten, jetzt nutzen sie die Veränderungen um unser Mittelmeer aus, ihre Vormachtstellung zu befestigen, wir geraten in stärkere Abhängigkeit von ihnen, Kreons Lage ist heikel, die Korinther geraten in Krisenstimmung. Medea stiftet zu einem ungünstigen Zeitpunkt Unruhe, das sagte ich ihr. So, sagte sie, aber einen günstigen Zeitpunkt sehe sie nicht mehr. Nicht für mich, nicht für Korinth. Auch nicht für sich selbst. Noch dazu, wo ich keine von euch bin, setzte sie hinzu. Aber du hättest eine von uns werden können, sagte ich. Und sie: Glaubst du das wirklich, Akamas?

Nein, das glaube ich nicht.

Die Amme von Iphinoe ist mit ihr gegangen. Das Kind müsse doch wenigstens ein vertrautes Gesicht sehen, wenn es sterbe, soll die Frau gesagt haben. Sie soll die ganze Zeit über mit dem Mädchen geredet und ihr ihre alten Schlaflieder vorgesungen haben. Sie soll sie an der Hand gehalten und sie hinter den Priestern, die für den Vollzug des Opfers ausgewählt waren, und vor den königlichen Beamten, die diesen Vollzug zu bezeugen hatten, den durch Fackeln beleuchteten Gang entlanggeführt haben. Wohin gehen wir, soll Iphinoe einmal gefragt haben, die Amme habe beruhigend ihre Hand getätschelt, was tun die, habe Iphinoe ganz am Schluß gefragt, als jemand ihren Nacken packte und den Kopf auf den Altar hinunterbeugte, was hat mich Unseligen dazu bewogen, einen der jungen Beamten nach diesen Einzelheiten auszufragen, er war froh, sie loszuwerden, mir hat er sie aufgeladen. Die Amme habe ihre Hand nicht losgelassen, die zuckte, als das Messer tief in ihren Hals fuhr. Nicht einmal die Ältesten in Korinth haben sich an Menschenopfer erinnern können, wohl wahr, sagte der oberste Priester, und zu rechtfertigen sei es nur, weil es uns andere, schlimmere Menschenopfer erspare. Die Amme ist natürlich geisteskrank geworden, mit wirrem Haar und irren Augen lief sie tagelang durch die Straßen von Korinth, von Wächtern umgeben, die es nicht zuließen, daß jemand sie ansprach. Sie mied die Königin, eines Tages fand man ihren zerschmetterten Körper unterhalb der Klippen. Sie habe den Verlust ihres Brustkindes nicht verwinden können, wurde vom Palast ausgestreut, die Wahrheit also, nur daß sie, wie so viele Wahrheiten, auf falschen Voraussetzungen beruhte. Denn Korinth war ja mit der Nachricht versorgt worden, die junge Iphinoe sei entführt worden, man stehe in Verhandlungen mit dem Königshaus, in das sie einheiraten solle, es gebe keinen Grund zur Beunruhigung.

Ich lernte viel an diesem Fall. Ich lernte, daß keine Lüge zu plump ist, als daß die Leute sie nicht glauben würden, wenn sie ihrem geheimen Wunsch, sie zu glauben, entgegenkommt. Ich war überzeugt, um das Verschwinden der kleinen Iphinoe, die allein durch die Straßen von Korinth gehen konnte, umgeben und getragen und bewacht von der Liebe des Volkes, von der Rührung der Menschen über soviel Zartheit und Verletzbarkeit – um Iphinoes Verschwinden würden Unruhen ausbrechen, da doch die Täuschung, mit der man das Volk abgespeist hatte, derart plump war. Nichts dergleichen. Ja, wenn die Korinther geglaubt hätten, das Mädchen befinde sich noch in der Stadt, dann hätten sie jedes Gebäude gestürmt, in dem sie es vermutet hätten, auch den Palast. Der Selbstmord der Amme hat uns unschätzbare Dienste geleistet: Jedermann glaubte, daß Iphinoe weg war. Für ein Phantom setzen normale Leute ihr Leben nicht ein. Lieber stellen sie sich das Kind glücklich verheiratet vor, in einem blühenden Land, bei einem jungen König, als tot und verwesend in einem finsteren Gang ihrer eigenen Stadt. Das ist menschlich. Der Mensch schont sich, wenn er es irgend einrichten kann, so haben die Götter ihn gemacht. Sonst gäbe es ihn nicht mehr auf dieser Erde. Lieder kamen auf, in denen sie Iphinoe besingen, als schöne junge Braut. Sie erleichtern den Korinthern das Herz, sie schmelzen ihren bösen Verdacht und ihr Schuldgefühl und ihre Trauer um in eine süße Sehnsucht. Man kann nicht genug staunen, die Weisheit der Götter nicht genug bewundern, die es so und nicht anders eingerichtet haben. Es kann zu einem Zwang werden, das immer und immer wieder zu beobachten, wenn man einmal durchschaut hat, wie es geht.

Daß ich durchschaue, wie es geht, das kann ich wohl sagen. Daß es mich immer noch reizt, das nicht. Wie es mich jetzt schon anödet, was mit Medea geschehen wird! Wie es mich langweilt, die einzelnen Stufen ihres unaufhaltsamen Niedergangs vorauszusehen. Sie hat von mir verlangt, ich solle öffentlich sagen, was ich wisse: daß sie nicht die Mörderin ihres Bruders sei. Sie hatte immer noch nicht verstanden, daß eine Geröllawine in Gang gesetzt war, die jedermann unter sich begraben würde, der sie noch aufhalten wollte. Wollte ich es eigentlich. Merkwürdige Frage. Ich weiß die Antwort nicht. Ob ich die Lawine ausgelöst habe? Jedenfalls war ich einer der ersten, der sah, es war notwendig, sie auszulösen. Nicht immer gefällt einem, was notwendig ist, aber daß ich in der Pflicht meines Amtes nicht nach persönlichem Gefallen, sondern nach höheren Gesichtspunkten zu entscheiden habe, das hat sich mir unauslöschlich eingeprägt.

Dieser eitle törichte Presbon. Diese in ihrem Haß verblendete Agameda. Hemmungslos folgen sie ihren Trieben. Welche Lust wäre es mir gewesen, sie mit ihrer gehässigen Denunziation nicht nur abzuweisen, sondern sie wegen übler Nachrede steinigen zu lassen. Wenn diese Person, Agameda, wüßte, was für luststeigernde Bilder ich vor meinen Augen ablaufen lasse, während ich sie befriedige. Doch lebe ich nicht, um meiner Lust zu folgen. Ja, sagt Medea. Ich weiß. Das ist euer Unglück.

War sie schon immer so? Ist sie mit der Zeit, die sie bei uns verbracht hat, dreister geworden? Habe ich, weil ich ihr vieles nachsah, einen Anteil daran? Das meint Turon, mein junger Adlatus, der sich zielgerichtet zu meinem Nachfolger aufbaut, mit anderen Mitteln allerdings, als ich, als meine Generation sie für erlaubt hielten. Diese Jüngeren kennen keine Skrupel, manchmal kommen sie mir vor wie junge wilde Tiere, die durch ein Dickicht streifen, mit geblähten Nüstern nach Beute schnüffelnd. So etwas sage ich Turon ins Gesicht. Er zieht dann eine Grimasse, als hätte er Zahnschmerzen, und fragt ganz unverfroren, ob das Leben in unserer schönen Stadt Korinth etwa nicht einem Dickicht gleiche. Ob ich ihm einen einzigen nennen könne, der nach oben gekommen ist, ohne die Gesetze des Dickichts zu befolgen. Ob ich einem zur Leitung des Gemeinwesens begabten jungen Mann, der nicht verwandt sei mit dem Königshaus oder der nicht Fürsprecher in den höheren Kreisen habe, wirklich raten würde, brav alle Regeln, Gesetze und moralischen Gebote einzuhalten. Er hielt mir sein blankes, freches, von keinem Kummer, keinem Zweifel getrübtes Gesicht hin. Ich mußte mich abwenden, um nicht hineinzuschlagen.

Was wir kaum denken, sprechen die aus. Soll man das ehrlich nennen. Ich sprach mit Leukon darüber, der beinahe gleichzeitig mit mir als sehr junger Knabe bei den Astronomen des Königs in die Lehre genommen wurde, wir begegnen uns immer seltener, ich dränge mich nicht danach, ihm zu begegnen, ich glaube, er hält sich insgeheim für das Gewissen von Korinth. Ehrlich? sagte Leukon. In diesem Fall könne man Ehrlichkeit nicht von Unverschämtheit unterscheiden. Die Methode von Leuten wie Turon sei es doch, die Mittel, die die Älteren zu anderen Zwecken entwickelt hätten, kühl gegen uns zu benutzen. Und ein anderes Ziel außer ihrem eigenen Fortkommen hätten sie ja nicht.

Das war freundlich von Leukon, daß er »uns« sagte und mich mit einschloß. Wir wußten beide, ich gehöre nicht mehr zu denen, die Leukon meint. Alles kann man nicht haben, erster Astronom des Königs sein und mit einem wie Leukon auf vertrautem Fuße stehen.

Spätestens als die Sache mit Iphinoe passierte, mußte ich mich entscheiden. Leukon hat selbstverständlich zu der Gruppe von Korinthern gehört, die nicht abließen, nach Iphinoe zu fragen. Es soll so etwas wie eine Verschwörung gegeben haben, sie wurde zerschlagen, daran hatte ich keinen Anteil. Leukon wurde jenem Kreis von Astronomen zugeteilt, die ihr Leben mit der Beobachtung der Gestirne verbringen, die unsere Sternkarten vervollständigen und sich jeder Deutung, wie der Politik überhaupt, zu enthalten haben. Das kam ihm anscheinend zupaß, dort sammeln sich natürlich die begabtesten, auch die spöttischsten Leute, sie diskutieren unter sich entlegene Themen, es herrscht ein lockerer kameradschaftlicher Ton. Ich denke natürlich nicht daran, Leukon merken zu lassen, wenn angesichts seines geruhsamen, nur seinen eigenen Maßstäben verpflichteten Lebens ein Anflug von Neid über mich kommt. Man kann nicht alles haben.

Übrigens bin ich vor seiner Tür im Turm Medea begegnet. Das gefällt mir nicht. Was bahnt sich da an. Falls sie bei ihm Trost sucht, bitteschön. Falls da ein Bündnis entstehen sollte, um die Maßnahmen zu durchkreuzen, die wir bald werden treffen müssen, dann könnte ich auch Leukon nicht mehr schützen, doch das will ich nicht hoffen. Öfter muß ich, halb zornig, halb betroffen, an Medeas Frage denken, die sie stellte, als sie mich verließ, nach unserem langen Gespräch. Sie fragte: Wovor lauft ihr alle eigentlich davon.

6

Er hat mir meine Güter genommen.
Mein Lachen, meine Zärtlichkeit, mein Freuenkönnen,
mein Mitleiden, Helfenkönnen, meine Animalität,
mein Strahlen, er hat jedes einzelne Aufkommen
von all dem ausgetreten, bis es nicht mehr aufgekommen
ist. Aber warum tut das jemand, das versteh ich nicht...

Ingeborg Bachmann, ›Franza-Fragment‹

Glauke

Es ist alles meine Schuld. Ich habe gewußt, daß die Strafe kommen muß, ach, ich bin geübt im Bestraftwerden, die Strafe tobt in mir, lange ehe ich ihr Gesicht kenne, nun kenne ich es und werfe mich vor dem Altar des Helios zu Boden und zerreiße meine Kleider und zerkratze mein Gesicht und flehe ihn an, er möge diese Strafe von meiner Stadt nehmen und sie nur auf mich legen, auf mich, die Schuldige.

Die Pest. Ach, es ist das Übermaß. Kann es eine Schuld geben, die als Strafe die Pest nach sich zieht, ich könnte Turon fragen, der mir nicht mehr von der Seite weicht, Akamas hat ihn mir als Beschützer beigegeben, er ist so alt wie ich, ein bleicher, unglaublich dünner junger Mann mit hohlen Wangen und langen knochigen Fingern und einem klebrigen Blick, ich muß ihm dankbar sein, wie er sich um mich kümmert, der König mache sich Sorgen um mich, hat er mir sagen lassen, Regierungsgeschäfte hindern ihn, persönlich zu mir zu kommen, das ist selbstverständlich, auch wenn er käme, könnte ich ihm nicht sagen, daß es mir vor den feuchten knochigen Händen des Turon graust, die er mir gerne auf den Oberarm legt oder auf die Schulter, oder sogar auf die Stirn, um mich zu beruhigen, so sagt er, und daß der Geruch nach fauligem Schweiß, der aus seinen Achselhöhlen strömt, mich ekelt, kein anderer Mensch, den ich kenne, riecht so, im Gegenteil, es gibt Menschen, deren Geruch man nicht genug einsaugen kann, aber daran will ich nicht schon wieder denken, nicht schon wieder an die Frau, die mir auch die Hand auf die Stirn gelegt hat, nein, ich soll sie vergessen, ich muß sie vergessen, die mir das anempfehlen, haben alle recht, besonders Kreon, der Vater hat recht, ich muß den Namen dieser Frau aus meiner Erinnerung tilgen, ich muß mir diese ganze Person aus dem Kopf schlagen, sie mir aus dem Herzen reißen, ich muß mich fragen lassen oder mich selbst fragen, wie es mir passieren konnte, daß ich ihr mein Herz öffnete, ihr, die uns immer fremd bleiben wird, Turon hat wohl recht, sie Verräterin zu nennen, sie der schwarzen Magie zu bezichtigen, aber was Turon sagt, ist mir eigentlich gleichgültig, es geht mir nicht so nahe, wie mir die Verzweiflung des Vaters nahe gegangen ist, denn der maßlose Zorn, den er gegen mich gerichtet hat, kann ja nur aus Verzweiflung gekommen sein, nicht wahr, niemand hat ihn je so zornig gesehen, ich kann mich nicht erinnern, daß er mich je vorher berührt hätte, er hat es vermieden, mich zu berühren, das habe ich immer verstanden. Welcher Mann, und sei es der Vater, berührt gerne die blasse unreine Haut, das dünne schlaffe Haar oder die linkischen Glieder eines Mädchens, und sei es die Tochter, nicht wahr, es ist ja meine früheste Gewißheit, daß ich häßlich bin; mochte mich die Frau, deren Namen ich nicht mehr aussprechen will, auslachen soviel sie wollte, mochte sie mir Tricks beibringen, wie ich mich halten, wie ich laufen, womit ich mein Haar waschen und wie ich es tragen sollte, darauf fiel ich natürlich herein, und fast hätte ich ihr geglaubt, fast hätte ich mich wie irgendein anderes Mädchen gefühlt; das ist meine Schwäche, denen zu glauben, die mir schmeicheln, obwohl es nicht eigentlich Schmeichelei war, es war etwas anderes, es war raffinierter, es ging tiefer, es rührte an den geheimsten Punkt in meinem Inneren, an den tiefsten Schmerz, den ich bis dahin nur vor der Gottheit ausbreiten konnte und von jetzt an wieder nur vor der Gottheit werde ausbreiten können, für immer und ewig, welch ein Urteil, ich darf es nicht denken, es macht mich krank, das hat sie mich gelehrt, daß es mich krank macht, wenn ich in mir wieder und wieder die Bilder aufrufe, die mich als Unglücksmenschen zeigen, als Unglückswurm, warum nur, hat sie gesagt und gelacht, auf die Weise, die nur sie an sich hat und die, da hat Turon ganz recht, ziemlich dreist ist, so kann sie in ihren wilden Bergen lachen, sagt er, bitteschön, aber wieso sollen wir uns dieses anmaßende Lachen gefallen lassen – warum, sagte sie, willst du dein ganzes Leben unter diesen schwarzen Tüchern ersticken, sie zog mir die schwarzen Kleider aus, die ich trug, solange ich denken kann, sie brachte Arinna mit, die Tochter von Lyssa, die hatte Webstücke bei sich, wie nur die Frauen aus Kolchis sie herstellen, Farben, die mir die Augen weiteten, sie hielten mir die Stoffe an, sie führten mich vor einen Spiegel, aber das ist nichts für mich, sagte ich, sie lachten bloß, ein bestimmtes leuchtendes Blau sollte es sein, das hebt, sagte Arinna, mit Goldborte um den Hals und auf dem Rocksaum. Sie nähte mir die Kleider; die beiden mußten viel reden, daß ich sie dann auch trug, mit niedergeschlagenen Augen rannte ich durch die Gänge, einer von den jungen Köchen erkannte mich nicht und pfiff hinter mir her, unerhört, unerhört und wunderbar, ach wie wunderbar, aber das war eben ihre schwarze Magie, sie ließ mich etwas fühlen, was es nicht gab, nicht gibt, auf einmal sollten meine Arme und meine Beine geschickt geworden sein, jedenfalls kam es mir so vor, aber das war ja alles Täuschung, Verhöhnung, sagt

Turon und legt seine Hand mitleidig auf meinen Kopf, er meint natürlich Verhöhnung einer Armseligen und Unglücklichen und von den Göttern Benachteiligten, und der Beweis dafür ist, daß nun, da man mich ihrem verderblichen Einfluß entzogen und mir die dunklen Kleider, die mir anstehen, wiedergegeben hat, daß nun auch meine Arme und Beine ihre trügerische Geschicklichkeit wieder verloren haben und kein noch so dummer Küchenjunge auf die Idee käme, mir nachzupfeifen, was ja auch höchst ungehörig wäre gegenüber der Tochter des Königs, das schrie Kreon, als er endlich dieser Frau auf die Schliche gekommen war, als man ihm zugetragen hatte, daß sie mich häufig und regelmäßig besuchte, ja wo sind wir denn, schrie er, kann denn hier jeder machen, was er will, ich werfe dieses Weib zur Vordertür hinaus, und zur Hintertür läßt meine Tochter sie wieder herein; Kreon packte mich bei den Schultern und schüttelte mich, mein Vater faßte mich an, das hatte es noch nie gegeben, das war Angst und Freude zugleich. Es war mir geglückt, ich hatte ihn so weit gebracht, er faßte mich an; das müßte sie sehen, dachte ich, ihr, die ich nicht mehr sehen sollte, ihr, die mir die Angst vor dem Vater hatte nehmen wollen, ihr wollte ich zeigen, daß ich nur eine mit Angst vermischte Freude an ihm haben konnte. Ich hätte erschrecken sollen, aber ich erschrak nicht, das ist es ja: Ich gebe alles zu, und ich gebe ihnen recht, aber ich erschrecke nicht, nicht vor mir, nicht vor ihr, sondern ich frage mich, ob sie eigentlich weiß, daß sich die Leute, wenn sie einen Raum betritt, sofort anders benehmen als vorher, daß auch mein Vater, der König, sich in ihrer Gegenwart niemals einen solch zügellosen, ja: zügellosen Zornesausbruch gestattet hätte, selbst er hält, wenn sie dabei ist, seine wahren Gefühle zurück, weil sie ihm plötzlich peinlich sind, ich habe das schnell bemerkt, denn wenn ich auch wenig rede, so heißt das nicht, daß ich nicht beobachte und mir meine Gedanken mache, das hat sie mir übrigens auf den Kopf zu gesagt bei unserer ersten Begegnung. Ich erinnere mich an jedes ihrer Worte von Anfang an.

Es ahnt ja niemand, wie ich auf sie und die anderen Kolcher gewartet, wie inbrünstig ich sie herbeigesehnt habe, ich habe die junge Magd bestochen, die mich damals bediente, daß sie mir alte Kleider von sich gab, als Mädchen aus dem Volke, das Gesicht hinter einem Tuch versteckt, schlich ich mich durch die Absperrung beim Hafen, ich kann ja kühn sein, wenn ich nicht Glauke bin. So stand ich am Fuß des Landungsstegs und sah sie mit ihrem dicken Bauch herunterkommen, gestützt von diesem Mann, dessen Glanz mich blendete, etwas zerriß in mir, ich sah ihre Gestalt gegen den Himmel, wie ich ihn hasse, diesen Himmel von Korinth, das habe ich niemandem gesagt, nur ihr, immer wieder ihr, ihr, ihr, sie war es ja, die mich hassen lehren wollte, aber doch nicht den Himmel, Glauke! hat sie ausgerufen und auf ihre Weise dazu gelacht, sie war es ja, die mir einreden wollte, ich könne ruhig denken: Ich hasse meinen Vater, nichts würde ihm dadurch passieren, ich brauchte mich dafür nicht schuldig zu fühlen. So begann ihr übler Einfluß auf mich, heute kommt es mir unglaublich vor, ungeheuerlich, daß ich mich ihm ergeben, lustvoll mich ihm ergeben habe, das war die Schlechtigkeit in mir, die sich auf einmal als mein bestes Teil aufspielen durfte, meine Putzsucht und meine Lust auf Zerstreuung und auf diese kindlichen Spiele, die sie mich mit Arinna machen ließ, Arinna, die sie mir als Freundin zuführte; nie hatte ich eine Freundin gehabt, die mich ans Meer mitnahm und mich lehrte, darin zu baden, das sei gesund, kriegte ich zu hören, und eine Zeitlang sah es so aus, als hätten sie damit recht, nicht wahr, sogar mein Ungemach trat seltener auf, sie behauptete, es würde ganz und gar aufhören, es gab Tage, Wochen, da ich früh nicht mehr angstvoll darauf wartete, daß es mich packen, schütteln und zuckend zu Boden werfen würde, aber Turon sagt, wie kann man einen kranken Menschen mit einer so grausamen Lüge täuschen, er sorgt sich sehr um mich, und er ist in meiner Nähe, wenn es mich überfällt, er fängt mich auf, er hält mich, er ist dafür verantwortlich, daß ich mich nicht verletze, er ruft Hilfe herbei, ich glaube, der ganze Palast weiß Bescheid, wie oft es mich niederwirft, ich sehe es an den mitleidigen und geringschätzigen Blicken, ich kann keinen Schritt mehr alleine gehen, ich kann nicht mehr alleine schlafen, so sehr fürchtet der Vater, ich könne mir etwas tun, heißt es, während diese Frau mich dazu angestachelt hat, wenn sie das wüßten, mutterseelenallein auf dem geheimen Weg zum Meer zu gehen, wo Arinna auf mich wartete, die manchmal, wenn ich mich in der Dämmerung näherte, nicht allein war, ein männliches Wesen war bei ihr, ein Schattenmann, dessen Umriß ich erkannte, der sich entfernte, wenn sie mich kommen sahen, und über den Arinna kein Wort verlor, nur daß sie aufgeregt war, freudig erregt, das konnte sie nicht verbergen, wir standen auf vertrautem Fuß miteinander, aber etwas hielt mich zurück, sie auf den Mann anzusprechen, kaum wollte ich für wahr halten, was ich sah, da fing Arinna von selbst damit an, mir passierte es zum ersten Mal, daß mich eine Frau ins Vertrauen zog, ja, sie hing an Jason, mein Herz zuckte, ich ließ mir kein Wort entgehen, ich lernte. Und seine Frau? wagte ich zu fragen. Sie wußte es, erfuhr ich. Sie schien unbefangen, wenn sie uns beide antraf. Sie hörte unserem Geplauder zu, bei einer alltäglichen Redewendung konnte sie einhaken, konnte fragen, was das erste Ereignis sei, an das ich mich erinnerte, solche Fragen, über die ich lachen mußte, aber das weiß man doch nicht, sagte ich, ach, sagte sie – während sie mir Kopf und Nakken massierte, auf eine Weise, die mir unendlich wohltat und diese vibrierende Schwere im Zentrum meines Kopfes auflöste, die mich fast nie verließ und manchmal mit entsetzlicher Kraft meinen ganzen armen Kopf auseinanderzutreiben schien und dieses Ungemach auslöste – das, sagte sie, solle mich nicht weiter bekümmern, aber das erste Ereignis, an das ich mich erinnere, das würde sie interessieren, und was ich dabei gefühlt habe, ich solle mir die Zeit nehmen und mir ein Herz fassen und mich an einem inneren Seil – sowas könne man sich nämlich vorstellen – hinunterlassen in die Tiefe in mir, die ja nichts anderes sei als mein vergangenes Leben und meine Erinnerung daran. So sprach sie, die Unselige, immer ganz beiläufig, und setzte etwas in Gang, was sie gar nicht verantworten konnte, da hat der Vater natürlich recht, der außer sich geriet, als er und Akamas aus mir herausgefragt hatten, wohin sie mich getrieben hatte. Ich meine, innerlich getrieben hatte, wenn sie sich auch zurückhielt, mir nur ihren Kräutersud zu trinken gab, der mal wohlschmeckend, mal gallebitter war, und jenes Seil nicht mehr erwähnte, das für mich eine Zeitlang wirklicher wurde als alle Gegenstände der äußeren Welt. Hinablassen, hinabsteigen, hinabsinken. Nicht nur, wenn ich auf meinem Bett lag, auch wenn ich herumging mit offenen Augen, sogar wenn ich mit jemandem sprach, konnte, nein, mußte ich zugleich mit angespannter Aufmerksamkeit dieses verkleinerte Abbild

meiner selbst verfolgen, das sich abmühte, in mir hinunter-
zukommen. Manchmal griff ich nach ihrer Hand, und sie
ließ sie mir. Sie hat mir einreden wollen, ich müsse sie nicht
leugnen, die Schatten, die so oft über meine hellsten Tage
fielen, ich müsse nicht weglaufen, wenn mich an einer bestimmten Stelle auf unserem Palasthof, nahe dem Brunnen, regelmäßig eine entsetzliche Angst packte, so daß ich
lernen mußte, diese Stelle zu meiden. Damit kann man ja
leben, die meisten Menschen ahnen nicht, mit wieviel Ver-
meidung man leben kann, aber dann war es nicht nur jene
Stelle, dann war es der ganze Umkreis um den Brunnen,
schließlich war es der ganze Palasthof, vor dem ich zitterte,
und ich wurde sehr erfinderisch in Ausreden und Vorwän-
den, die mir halfen, mich davor zu drücken, diesen Hof betreten zu müssen, den jeder von uns mehrmals am Tag
überquert. Ich gab mein Gebrechen nicht preis, auch ihr
nicht, sie merkte es mir an, an einem Laut, den ich ausstieß, an einem Zurückzucken, und ich mußte mich wun-
dern, wie genau sie mich beobachtete. Sie hat meine Beteu-
erung: Ich kann nicht! ernst genommen, hat mir meine
Angst nicht ausreden wollen, ich weiß, hat sie gesagt, es ist
genauso, als würde dir ein Arm oder ein Bein fehlen, nur
sieht keiner, was dir fehlt. Sie hat Geduld gehabt, sicher
aus Berechnung, und ich wüßte nicht mehr zu sagen, wie
sie mich dazu gebracht hat, eines Tages an ihrer Hand über
den Hof zu gehen. Sie hielt mich ganz fest, das weiß ich
noch, sie sprach leise mit mir, als wir uns der Stelle näher-
ten und meine Hände feucht wurden und meine Füße sich
gegen den Boden stemmten, sie beruhigte mich durch ihre
Worte, nein, es war mehr als Beruhigung, es war eines ihrer Zauberkunststücke, das ist mir jetzt klar, denn auf einmal nahm ich nichts mehr wahr als eine große Stille, und

als die Geräusche wiederkehrten, saß ich neben ihr auf der Steinbank am anderen Ende des Palasthofes im Schatten des uralten Olivenbaumes, ich mußte also doch gelaufen sein, jene Stelle passiert haben, ohne in die Zustände zu verfallen, vor denen ich mich so fürchtete, fast war mir, als müsse ich sie nachholen, damit alles seine Richtigkeit hatte, aber sie sagte, das sei nun nicht mehr nötig, sie legte meinen Kopf in ihren Schoß, strich mir über die Stirn und redete leise von dem Kind, das ich einmal gewesen sei und das mit jener Stelle auf dem Hof eine unerträgliche Erinnerung verbinde, die ich hätte vergessen müssen, um weiterleben zu können, was ja auch in der Ordnung gewesen sei, wenn nicht im Kopf des Kindes, während es heranwuchs, das Vergessene mitgewachsen wäre, ein dunkler Fleck, der größer wird, verstehst du mich, Glauke, bis er sich des Kindes, des Mädchens bemächtigt habe, ach ich verstand sie, nur zu genau verstand ich sie, sie warf mir das Seil zu, an ihren Fragen sollte ich mich hinablassen, sie wollte mich vorbeiführen an den gefährlichen Stellen, die ich alleine nicht passieren konnte, sie wollte sich unersetzlich machen, das mußte ich einsehen.

Es hat lange gedauert, bis ich zugeben mußte, daß ich mich auch in diesem Punkt getäuscht habe, habe täuschen lassen, aber was ist denn überhaupt richtig, kann ich denn meinen Augen noch trauen, kann ich mich noch auf irgendeinen Menschen verlassen.

Ich weiß nicht, ich weiß es wirklich nicht, wie sie mich dazu gebracht hat, zu reden, ich meine, über das zu reden, was ich vergessen hatte, was mir erst in dem Augenblick einfiel, in dem ich es ihr erzählte. Vielleicht denke ich mir das jetzt aus, sagte ich, das macht ja nichts, sagte sie, mein Kopf lag in ihrem Schoß, noch nie hatte ich jemandem den

Kopf in den Schoß gelegt, vielleicht doch, sagte sie, vielleicht hast du so mit deiner Mutter gesessen und weißt es nicht mehr. Wie kommst du darauf, rief ich, sie antwortete nicht, sie antwortete nie auf bestimmte Fragen, daran sieht man, wie berechnend sie war, sie rechnete damit, daß ich das Schweigen nicht aushalten würde und weiterreden mußte, mich über meine Verlegenheit hinwegreden mußte, ich redete und redete, bis ein Satz fiel, der ihr zupaß kam, etwas Beiläufiges, Unwichtiges, das pickte sie sich heraus und drehte mir daraus einen Strick. War es das erste Mal, daß deine Eltern sich stritten? Wieso, sagte ich, was meinst du. Da hatte ich ihr also erzählt, daß die Mutter eines Tages – da muß sie noch mit uns im Palast gelebt haben, schön mit ihrem langen tiefschwarzen lockigen Haar – einmal hier auf dem Palasthof stand, die Arme gegen den Himmel schüttelte, sich die Haare in Büscheln ausriß und schrie. Ich warf meinen Kopf im Schoß der Frau herum, so fing es immer an, und es hätte mich ins tröstliche Vergessen zurückgerissen, doch das duldete sie nicht, die Frau, sie hielt meinen Kopf fest, sie setzte ihre Kraft dagegen und sagte mit fester, zorniger Stimme: Nein!, weiter, Glauke, weiter, und ich sah den Mann, auf den die Mutter losging, der sie beim Namen rief und versuchte, sie sich vom Leib zu halten, sie zerkratzte ihm das Gesicht mit den Nägeln. Wer war dieser Mann, Glauke. Der Mann der Mann, welcher Mann. Ruhig, Glauke, ganz ruhig, sieh hin.

Der Mann war der König. Der Vater.

Ich hasse sie. Wie ich sie hasse. Daß sie ihren kleinen Bruder umgebracht hat, ich glaube es. Sie ist zu allem fähig. Eine wie sie muß alle Übel, die die Götter schicken können, auf eine Stadt herabziehen, wenn man sie machen

läßt, sie müßte einfach verschwinden, so als wäre sie niemals hier gewesen, sie selbst hat mir beigebracht, daß ich
mir keinen Gedanken verbieten muß, die abwegigsten
Wünsche soll man denken dürfen, aber nun frage ich mich,
ob sie dabei geblieben wäre, wenn sie alle meine abwegigen Wünsche gekannt hätte. Denn das war mein heimlicher Triumph und meine tiefe Beunruhigung, mit meiner
Begierde war ich ihr entwischt, sie, die mehr von mir zu
wissen schien als ich selber, sie ahnte nicht, wohin meine
Wünsche, die sie von der Angst befreit hatte, sich verstiegen, welche Gestalt sie annahmen oder an welche Gestalt
sie sich hängten. Oder an welche Stimme, denn die Stimme
habe ich ja zuerst gehört, als ich aus einer Art tiefen Schlafs
erwachte, den Kopf immer noch vertrauensselig in ihrem
Schoß, die Ruchlose.

Sie kommt zu sich, sagte eine weiche besorgte männliche Stimme, mein Blick fiel auf ein schönes Gesicht, das
sich über mich beugte, in zwei unbeschreiblich blaue Augen, Jason. Ich sah ihn wie zum ersten Mal, ich lauschte
dem Klang seiner Stimme, wie er sich mit der Frau um
mein Wohlergehen sorgte, ich habe keine Worte dafür,
wie mir da zumute wurde, ich stand auf, es ging mir besser
und schlechter zugleich, es war ja nicht möglich, mein Begehren auf den Mann zu richten, der dieser Frau gehörte,
und es war ja nicht möglich, davon abzulassen. Du hast,
sagte sie mir, so viele Jahre lang versucht, Unvereinbares
miteinander zu vereinbaren, das hat dich krank gemacht.
Nach jenem wüsten Streit mit dem Vater, dessen Zeugin
ich als kleines Kind gewesen war, zog meine schöne Mutter sich von mir zurück, es war, als meide sie jede Berührung mit mir. Bald war ich über und über von einem Hautausschlag bedeckt, der juckte und quälte mich, da kam die

Mutter wieder und machte mir Umschläge aus Milch und Quark, und sie sang mir Lieder vor, die mir jetzt wieder einfielen, aber zeigte sie mir denn ihr wahres Gesicht, hatte sie nicht immer schon die andere mir vorgezogen.

Welche andere, fragte mich natürlich die Frau, wir redeten unentwegt, wo immer wir uns trafen, nie mehr im Palasthof, kaum noch in meinem Zimmer, sie schien den Palast zu meiden, sie benutzte Arinna dazu, mir Botschaften zu überbringen, die aber nicht den Anschein erwecken durften, als gingen sie von ihr aus, sie brachte mich immer wieder dazu, ihr alles zu sagen, was mir durch den Kopf ging, kunterbunt durcheinander, ich merkte, daß mir immer häufiger die Mutter in den Sinn kam, die mich verlassen hatte, von der ich nichts mehr wissen wollte. Vielleicht doch, sagte sie, vielleicht willst du doch etwas von ihr wissen. Weißt du überhaupt, warum sie in ihren düsteren Gemächern lebt und keine Menschenseele zu sich läßt. Das, sagte ich, will ich nicht wissen, Turon meint, sie ist nicht ganz richtig im Kopf, und das glaube ich, das sehe ich ja, das habe ich ja beim Festessen gesehen an der Tafel, als sie wie eine Mumie neben dem Vater saß, der einem leid tun konnte mit dieser Königin, und als sie mich nicht einmal ansah, nicht einmal den Kopf nach mir umdrehte, geschweige nach mir fragte, sondern ging, einfach wegging, und wieder das Ungemach über mich kam, ja, sagte ich der Frau zornig, sie hat es mir angehext, immer wenn ich sie sehe oder über sie rede, kommt es über mich. Das mag gestimmt haben, sagte die Frau, aber stimmt es noch heute.

Es war unglaublich, aber sie schien sich beinahe zu freuen, als dieser gräßliche Hautausschlag wiederkam, ich geriet außer mir, als er anfing, zuerst in den Hautfalten, dann sich ausbreitete über große Teile des Körpers, ekelhaft, nässend und juckend, das sei, behauptete sie, ein Zeichen von Heilung, wie sagtest du doch: Milch und Quark?, sie machte mir die gleichen Umschläge wie meine Mutter, sie summte dazu die Lieder meiner Mutter, sie gab mir eine der widerlichsten Tinkturen zu trinken, sie zeigte mir die Stellen meines Körpers, von denen der Ausschlag sich zurückzog, die neue Haut, die zum Vorschein kam, du häutest dich, Glauke, sagte sie heiter, wie eine Schlange. Sie sprach von Wiedergeburt. Es waren Tage voller Hoffnung, bis sie mich im Stich ließ, wie meine Mutter mich einst im Stich gelassen hat, es war das, was sie niemals hätte tun dürfen. Ich hasse sie.

Jetzt wird ihr der Hochmut vergangen sein. Immer lauter wird ihr nachgesagt, sie habe ihren kleinen Bruder umgebracht, und heute hörte ich Stimmen, die ihren Namen zusammen mit der Pest nannten, die unten in den Armenvierteln der Stadt ihre ersten Opfer gefordert hat, Agameda, die sich rührend um mich kümmert, erwähnte es beiläufig, mir schien, sie beobachtete scharf, wie ich mich dazu verhielt, ich hatte meine Miene in der Gewalt, Triumph und Schrecken gleichzeitig nahmen mir fast den Atem. Jetzt würde sie bekommen, was sie verdiente. Jetzt würde ich sie für immer verlieren. Sie bereiten etwas gegen sie vor. Sie verheimlichen es vor mir, ich kriege alles heraus, was ich wissen muß, ich stelle der Dienerschaft mit dümmlicher Miene naive Fragen, sie sind so daran gewöhnt, mich für töricht, ja für blöde zu halten, daß sie in meiner Gegenwart ungeniert reden. Wenn man Angst hat, muß man über seine Umgebung genau Bescheid wissen, wie ein schwaches Tier im Dickicht, die Frau verstand das genau, sie wußte genau, wie schwer Angst sich vertreiben läßt, wie dicht unter der Oberfläche sie lauert, um wieder hervorzubrechen, sie hat versucht, das gebe ich ja zu, so-lange sie konnte, die Verbindung zu mir zu halten, auch als sie selbst schon Grund zur Angst gehabt hätte.

Eines Tages hatte Arinna mich gefragt, scheinheilig wie immer in solchen Fällen, ob ich nicht Lust hätte, einmal einen der besten Bildhauer und Steinmetzen der Stadt bei der Arbeit zu sehen, Oistros. Ich hatte viel von ihm gehört, er macht Grabmäler für höhergestellte Personen, es hieß, die Götter hätten ihm goldene Hände gegeben, aber ich sah als erstes seine Augen, graublaue eindringliche Augen, freundlich, ja, aber nicht nur freundlich, auch forschend, ich fand keine Spur jener Neugier, jener Zudringlichkeit, jenes Neides in ihnen, die ich in den Augen der meisten Korinther finde. Ah, sagte er, Glauke, das ist gut, daß du kommst. Er hat rostrote Haare, das ist selten in Korinth und wird als Makel angesehen, nicht bei Oistros, an dem Spott und üble Nachrede abprallen, er führte mich in seiner Werkstatt herum und erklärte mir die verschiedenen Steinsorten und wozu er sie verwendet, er führte mir vor, wie er den Meißel ansetzt, er zeigte mir Blöcke und ließ mich herausfinden, welche Figur in ihnen steckt, es steckt nämlich nicht in jedem Stein jede beliebige Figur, das war mir neu, es ist wie bei uns, sagte Oistros, nicht aus jedem Fleischkloß kann man einen Menschen machen, manchmal ist es tröstlich, das zu wissen, findest du nicht. Er behandelte mich als seinesgleichen, er lachte laut und ansteckend, auf sein Lachen erschienen zwei Frauenköpfe in der Tür zum Nebenraum. Ich erschrak. Sie war hier, die Frau. Die andere kannte ich nicht. Ach ja, sagte Oistros, ich glaube, du wirst erwartet, er schob mich in den Nebenraum.

Nie hatte ich mir vorgestellt, daß es so etwas Schönes

wie diesen Raum in meiner Stadt geben könnte. Arethusa, die hier lebte und die ganz vertraut zu sein schien mit der Frau, deren Namen ich vermeide, Arethusa war Steinschneiderin, ihr Kopf hatte das gleiche Profil wie die Gemmen, die sie aus den Steinen herausschnitt, ihr dunkles krauses Haar war kunstvoll hochgebunden, sie trug ein Kleid, das ihre schmale Taille betonte und viel von ihren Brüsten frei ließ, ich konnte den Blick nicht von ihr wenden. Warum habe ich dich noch nicht gesehen, fragte ich unwillkürlich, Arethusa lächelte, ich glaube, sagte sie, wir bewegen uns in verschiedenen Kreisen, ich arbeite viel, gehe selten aus. Ihr Raum hatte eine große Öffnung gen Westen, er war vollgestellt mit seltenen Pflanzen, man wußte kaum, ob man drinnen oder draußen war, hier wäre gut sein, empfand ich, und mein Herz zog sich zusammen, weil solche Orte, an denen sich leben läßt, mir nicht vergönnt sind, aber nun muß ich das alles noch einmal in der Vergangenheitsform denken, das Haus, in dem Arethusa und Oistros lebten, soll durch das Erdbeben schwer beschädigt sein, ich wüßte nicht, wen ich nach ihnen fragen könnte. In meiner Umgebung hat ein anderes Erdbeben stattgefunden, eine Erschütterung, die nicht die Häuser zerstört hat, aber Menschen verschwinden ließ. Alle Menschen, die mit dieser unheilvollen Person in Verbindung standen, sind wie vom Erdboden verschluckt, unheimlich müßte ich das finden, geschähe es nicht zu meinem Besten, denn was sollte ich mit Oistros und Arethusa jetzt bereden außer das Schicksal dieser Frau, das sich, wie ich sehr genau spüre, auf eine Katastrophe zubewegt, die ich zugleich fürchte und herbeisehne. So soll sie doch endlich kommen.

Dies ist, ich weiß es genau, das einzige Gefühl, das ich mit Jason teile. Jason, der jetzt öfter in meiner Nähe auftaucht, und jedesmal hüpft mein Herz, das so dumm ist, sich nicht daran zu kehren, daß der Vater ihn schickt. Daß er an einer anderen hängt, immer hängen wird, ich weiß es ja, man wird sie nie wieder los. Aber kann eine wie ich ein Geschenk der Götter zurückweisen, muß ich nicht die Brosamen auflesen, die mir vom fremden Tisch zufallen, sie schmecken bitter, aber doch auch süß, um so süßer, je weiter er sich von mir entfernt, dann ist er in meinen Gedanken bei mir, redet mit mir, wie er nie mit mir geredet hat, berührt mich, wie er mich nie berühren wird, verschafft mir ein Glück, das ich nicht kannte, ach Jason.

Die Frau wird untergehen, und das ist gut so. Jason wird bleiben. Korinth wird einen neuen König haben. Und ich werde meinen Platz neben diesem König einnehmen und werde vergessen, vergessen, endlich wieder vergessen dürfen. Was sie mir nicht erlauben wollte, die Frau, ganz übel wird mir, wenn ich daran denke, wie sie mich gequält hat, gerade an jenem Nachmittag bei Arethusa, an dem wir zu fünft – Oistros war dazugekommen und zu meinem Erstaunen auch Leukon, der mehr von den Sternen wissen soll als jeder andere in Korinth und vor dem ich immer eine Scheu hatte – draußen in dem schön gepflasterten Innenhof saßen, um den herum die Skulpturen des Oistros standen, als hielten sie Wache, ein Orangenbaum gab uns Schatten, wir tranken ein wunderbares Getränk, das Arethusa bereitet hatte, ich fühlte mich in eine andere Welt versetzt, meine Schüchternheit verflog, ich redete mit, fragte. Ich erfuhr, daß Arethusa aus Kreta hierher gekommen war, daß sie und einige andere sich auf dem letzten Schiff der von einer Flutwelle bedrohten Insel hatten retten können, sehr jung sei sie gewesen, fast noch ein Kind, und doch hatte sie manche ihrer Sitten, auch die Herstellungsweise mancher Speisen und Getränke und die Kunst des Steineschneidens mit hierher gebracht, vor allem aber sich selbst, sagte Leukon und strich ihr sacht über den Arm, sie nahm seine Hand und schmiegte ihre Wange hinein. Mir fiel es wie Schuppen von den Augen, ich war unter Liebespaaren. Denn wenn auch Oistros und die Frau, deren Namen ich nicht nenne, sich selten berührten, ihre Blicke konnten sie nicht voneinander lösen. Ich konnte es kaum fassen: Jason war frei.

So saßen wir und redeten und tranken und aßen die schmackhaften fleischgefüllten Fladen, die Arethusa brachte, allmählich ließ die Nachmittagshitze nach, das Licht verblaßte, einer nach dem anderen ging. Ich war mit der Frau allein. Sie ging ein paar Schritte mit mir bis zu einem Wasserrinnsal, das aus einer Brunneneinfassung floß, wir setzten uns auf ein Rasenstück, ich muß etwas von einem schönen Nachmittag gesagt haben, von meiner Sehnsucht nach solchen Tagen, die so selten seien, ich muß ihr wieder einmal mein Herz geöffnet haben, sie brachte es fertig, mich wieder in jene Tiefe zu führen, wo die Bilder der Vergangenheit ruhen. In jene Untiefe, wo ich mich, sehr klein noch, untröstlich weinend auf der Steinschwelle zwischen einem der Räume des Palastes und dem langen eisigen Gang sitzen sah. Was für ein Zimmer das sei, auf dessen Schwelle ich sitze, wollte sie wissen, aber ich wollte mich nicht umsehen, ich hatte Angst, sie raunte ihre beruhigenden Sprüche, da mußte ich mich umdrehen. Es war ein Zimmer, in dem ein Mädchen wohnte. Eine in herrlichen Farben bemalte Truhe stand da, Kleider waren auf der Bettstatt ausgebreitet, es gab einen in Gold gefaßten kleinen Spiegel auf einer Konsole, aber kein Anzeichen, wer da wohnen mochte. Du weißt es, Glauke, sagte die

Frau, du weißt es genau. Nein, rief ich, nein, schrie ich, ich weiß es nicht, woher sollte ich es wissen, sie ist ja verschwunden, nie wieder aufgetaucht, niemals hat jemand sie wieder erwähnt, auch das Zimmer ist verschwunden, wahrscheinlich habe ich mir das alles nur ausgedacht, wahrscheinlich hat es sie gar nicht gegeben. Wen denn, Glauke, fragte die Frau. Die Schwester, schrie ich. Iphinoe.

Iphinoe. Ich habe diesen Namen nie wieder gehört, ihn nie wieder ausgesprochen, auch nicht gedacht, das könnte ich beschwören, seit damals nicht, und warum auch, sie war ja weg, die ältere Schwester, die schöne, die kluge, welche die Mutter mehr liebte als mich. Und die von einem Tag auf den anderen verschwand, mit diesem Schiff, sagt Turon und glumert mich mit seinen eng beieinanderstehenden Augen an, und mit diesem Jüngling, sagt er und kommt mir dabei ganz nahe mit seinem säuerlichen Atem, diesem Sohn eines mächtigen, aber weit entfernten Königs, in den sie sich nun mal verliebt hat, sagt Turon, denn, nicht wahr, die Macht der Liebe, die kennst du doch auch, und er verzieht dazu seine Mundwinkel auf unleidliche Weise, und so sei es eben dazu gekommen, daß sie überhastet an Bord gegangen sei, Iphinoe, entführt im Morgengrauen, ohne sich von mir zu verabschieden.

Ich tue so, als glaube ich ihm, aber alles weiß er nicht, der dumme Turon, denn sie hat sich ja doch von mir verabschiedet, meine Schwester, im Morgengrauen. Der Frau habe ich auch das erzählt, an jenem lauen Abend im Innenhof bei Arethusa, vertrauensselig wie ich war, es redete sich leicht im Dunkeln, so leicht wie nie zuvor, so leicht wie nie wieder. Irgendein Geräusch auf dem Gang hatte mich aus dem Schlaf geschreckt, sagte ich, ich ging zur Tür und schaute hinaus, und nun sah ich das Bild wieder vor mir, das ich so lange vergessen hatte, die Schwester, schmal, blaß, in einem weißen Kleid inmitten eines Trupps von Männern, Bewaffneten, das wunderte mich, zwei vor ihr, zwei, die sie in die Mitte genommen hatten und sie an den Oberarmen hielten oder vielleicht auch stützten, dicht hinter ihnen unsere Amme, mit einem Gesicht, das ich noch nie an ihr gesehen hatte, es machte mir angst, sagte ich zu der Frau, die meine Hand ergriff und sie festhielt, aber ich merkte, auch ihre Hand zitterte. Und dann, sagte ich, als sie ein paar Schritte an mir vorbei waren, dann drehte sich die Schwester um und lächelte. Sie lächelte so, wie ich mir immer gewünscht hatte, daß sie mich anlächeln möge, ich glaube, sagte ich, sie nahm mich zum ersten Mal wirklich wahr, ich wollte ihr nachlaufen, aber irgend etwas sagte mir, daß ich das nicht durfte, schnell, sehr schnell entfernten sie sich und bogen um eine Ecke, ich hörte noch die hallenden Schritte der Bewaffneten, dann nichts mehr. Dann den Schrei der Mutter. Wie ein Tier, das geschlachtet wird, ich höre sie wieder, sagte ich weinend. Ich weinte, weinte und konnte nicht aufhören, sie, die Frau, hielt meine Schultern fest, die sich schüttelten wie im Fieber, sie schwieg, ich sah, auch sie weinte. Später sagte sie, das Schlimmste hätte ich nun hinter mir. Ist Iphinoe tot, fragte ich. Sie nickte. Ich hatte es die ganze Zeit gewußt.

Aber was heißt gewußt. Man kann sich viel einreden lassen, nicht wahr. Da hat Turon schon recht. Sie, diese Person, hat mich in ihre Gewalt bringen wollen, wie Frauen ihres Schlages das an sich haben. Sie war es, die mir all diese Bilder, all diese Gefühle eingeflößt hat, das ist ihr ein leichtes mit ihren Tinkturen, die sie mir natürlich weggenommen haben. Sie hat allerlei abwegige Verdächtigungen in mir gestärkt, das klingt doch glaubhaft. Oder möchtest du lieber glauben, liebe Glauke, daß du in einer Mördergrube lebst? sagt Turon mit dieser Grimasse, die er für ein Lächeln hält. Daß unser schönes Korinth, das diese Fremden niemals verstehen können, eine Art Schlachthaus ist? Nein. Das will ich nicht glauben. Natürlich habe ich mir das alles eingebildet. Wie soll ein Kind, wie ich es damals war, so schwierige Bilder in sich aufnehmen und über die Jahre hin in sich aufbewahren können. Vergiß es, sagt Turon. Vergiß es, sagt der Vater, jetzt kommen bessere Zeiten für dich, wirst sehen, was ich mit dir vorhabe, es wird dir gefallen. So redet er jetzt mit mir, der Vater, ach.

Was ist denn los da draußen, was geht da vor. Was bedeutet dieser anschwellende Ton aus so vielen Kehlen. Was schreien sie, was soll mir dieser verfluchte Name. Sie wollen sie. Götter! Sie wollen die Frau. Helios, hilf.

Es kommt wieder, ich spüre es, schon würgt es mich, schon schüttelt es mich, ist denn keiner da, hilft mir denn keiner, fängt mich denn keiner auf, Medea.

7

Die Menschen wollen sich davon überzeugen,
daß ihr Unglück von einem einzigen
Verantwortlichen kommt, dessen man sich
leicht entledigen kann.

René Girard, ›Das Heilige und die Gewalt‹

Leukon

Die Pest greift um sich. Medea ist verloren. Sie schwindet. Vor meinen Augen schwindet sie, und ich kann sie nicht halten. Ich sehe vor mir, was mit ihr geschehen wird. Ich werde alles mit ansehen müssen. Das ist mein Los, alles mit ansehen zu müssen, alles zu durchschauen und nichts tun zu können, als hätte ich keine Hände. Wer seine Hände gebraucht, muß sie in Blut tauchen, ob er will oder nicht. Ich will keine blutigen Hände haben. Ich will hier oben auf der Terrasse meines Turmes stehen und bei Tag das Gewimmel da unten in den Gassen von Korinth betrachten und bei Nacht meine Augen baden in der Dunkelheit des Himmels da oben, auf dem nach und nach die einzelnen Sternbilder hervortreten wie vertraute Gefährten.

Und wenn ich noch einen Wunsch frei hätte bei diesen wankelmütigen Göttern, so fielen mir zwei Frauennamen ein, für die ich Schutz erbitten würde. Ich wundere mich über mich selbst, nie vorher hat in meinem Leben der Name einer Frau eine Rolle gespielt. Nicht, daß ich mich der Freuden enthalten hätte, die das ewige Spiel zwischen Mann und Frau bereiten kann, aber die Namen der Mädchen, die mich einmal oder öfter besuchten, übrigens immer bereitwillig, sogar entzückt, glaube ich, die Namen habe ich schnell vergessen, ihre Besuche sind seltener geworden, ohne daß sie mir groß gefehlt hätten. Medea sagt, ich sei ein Mann, der den Schmerz fürchte. Ich wünschte, sie würde den Schmerz mehr fürchten, als sie es tut.

Noch sitzt sie mir gegenüber auf der Terrasse, etwas Luft ist aufgekommen nach dem unleidlich heißen Tag, wir beginnen freier zu atmen, ein Öllämpchen steht zwischen uns auf dem niedrigen Tisch aus Pinienholz, seine Flamme ist fast unbewegt, wir trinken kühlen Wein, sprechen leise oder schweigen. Diese Gewohnheit unserer nächtlichen Treffen haben wir nicht aufgegeben, obwohl sich die Leute sonst alle in ihre Wohnhöhlen verkriechen und einander meiden. Eine unheimliche Ruhe liegt über der Stadt. Nur manchmal hört man die Geräusche der Eselskarren, die die Leichen des Tages hinüberbringen, über den Fluß, der schwarz daliegt, in die Totenstadt. Ich zähle die Karren. In den letzten Nächten hat ihre Zahl sich vermehrt. Medea ist verloren.

Was wird aus uns, Leukon, sagt sie, und ich habe nicht das Herz, ihr zu sagen, was ich weiß, was ich sehe, was aus ihr wird. Sie kommt, glühend in Schönheit und erhitzt von der Liebe, von Oistros, sie umarmt mich, und ich umarme eine, die nicht mehr da ist. Sie tut, was sie nicht tun sollte, sie schlägt meine Warnungen in den Wind, und mit Oistros ist überhaupt nicht zu reden. Mit seinem Meißel, der die Verlängerung seiner Fingerspitzen ist, holt er das Abbild der Göttin aus dem Stein und scheint nicht einmal zu merken, wessen Gestalt er da nachbildet. Sie ist in seinen Fingerspitzen, Medea, sie hat ihn in Besitz genommen, das sagt er selbst, so etwas sei ihm noch nie passiert, die Lust an dieser Frau habe ihm eine neue Lust am Leben, an seiner Arbeit geschenkt, beim Näherkommen höre ich ihn in seiner Werkstatt pfeifen und singen, nur wenn sie bei ihm eintritt, wird es still. Dieser Mann, der keine Herkunft, keine Eltern und Verwandten kennt, den das nicht zu kümmern scheint, den sein Los nicht drückt, daß er als Säugling ausgesetzt und vor die Tür eines Steinmetzen gelegt worden ist, dessen Frau kinderlos war und diesen Findling als Gabe der Götter annahm und aufzog, der in der Werkstatt des Ziehvaters noch als Kind die Grundlagen seines Handwerks erlernte, über die er, das soll der alte Steinmetz freimütig und beinahe ehrfürchtig zugegeben haben, bald hinauswuchs. Heute bestellen die edelsten Korinther bei ihm die Grabmäler für ihre Familien, er könnte reich sein, niemand weiß so recht, wie er es anstellt, bedürfnislos und bescheiden zu bleiben, auch versteht man nicht, wieso er nicht den Neid der anderen Steinmetzen auf sich zieht. Geld scheint so wenig an ihm zu haften wie Neid, dafür ist er ein Menschenfänger, immer ist er umgeben von jungen Leuten, für die er in seiner Werkstatt Beschäftigung hat. Auch mich hat sein unbekümmertes Wesen angezogen, wenn ich mit ihm zusammen war, genas ich von meiner Schwermut und meinen Grübeleien, die er mir nicht anzumerken schien, jedenfalls verlor er kein Wort darüber, und eben das war ja das Heilsame in seiner Gegenwart, daß er jeden gleich behandelte, ich bin sicher, er würde auch kein Aufhebens machen, wenn sich der König zu ihm verirrte. Und, merkwürdig zu beobachten, sein Gleichmut und seine Unabhängigkeit strahlen auf jeden aus, der zu ihm kommt, ob hoch oder niedrig.

Medea sagt, er hat es geschafft, erwachsen zu werden, ohne das Kind in sich umzubringen, er war eine Wohltat für sie, aber ist er es noch? So sollte ich nicht fragen. Wie würde ich es mir verbitten, wenn jemand mich fragte, ob Arethusa eine Wohltat für mich ist trotz des Verzichts, den sie mir auferlegt. Wortlos sind wir darin übereingekommen, unsere Verbindung, die ja keine ist, geheimzuhalten, während Medea nun fast ohne jede Vorsichtsmaßnahme zu Oistros geht. Ihre Sorglosigkeit wird gefährlich, ja sträflich.

Es ist zum Verzweifeln. Als wollte sich jemand dafür rächen, daß ich mich der Gefühle so lange sorgsam enthalten habe, muß ich mein Herz an lauter Leute hängen, die die Verhältnisse in Korinth nicht wirklich kennen, keine Ahnung haben, wozu die Korinther fähig sind, wenn sie sich bedroht sehen, wie jetzt. Medea trinkt, lächelt, schweigt. Akamas hat mich wegen meiner Freundschaften schon zur Rede gestellt, als wir uns scheinbar zufällig auf der Treppe des Turmes trafen, im Halbdunkel, er hatte Zeit und Ort gut gewählt. Ich scheine gerade jene Leute zu bevorzugen, die sich ziemlich weit, so drückte er sich aus, mein Schlaumeier Akamas, ziemlich weit von unserem Königshaus entfernt haben, nicht wahr, mein lieber Leukon. Und ich, immer häufiger von einer hilflosen Wut erfüllt, habe ihm auf seine hämische Frage nicht geantwortet, sondern ihm die Gegenfrage gestellt, ob er mir irgendeine Pflichtverletzung vorwerfen könne. Ob er mich etwa für die zweifelhaften Schlußfolgerungen verantwortlich machen wolle, die andere aus meinen genauen Berechnungen gezogen hätten. Akamas lenkte ein, doch wir wußten beide, dieses Sieges konnte ich nicht froh werden; nicht zu oft durfte ich es mir erlauben, den Akamas mit der Nase auf seine haarsträubend falschen Voraussagen zu stoßen, als wüßte ich nicht, wer aus meinen Sternkarten das herausgelesen hatte, was der König hören wollte: ein glückliches Jahr für Korinth, Wachstum, Wohlstand und den Niedergang der Feinde des Königs. Statt dessen kam das Erdbeben und in seinem Gefolge die Pest. Der Stern des Akamas bei Hofe war im Sinken, er verfiel vor unseren Augen, er kann nicht leben, wenn er nicht in der Gunst des Königs ganz oben steht, das hat er mir einmal ins Gesicht gesagt, damals, als in Korinth, in unserem stolzen Korinth, ein junges Mädchen auf dem Altar der Macht geopfert wurde und die, die davon wußten, sich zu entscheiden hatten, ob sie im Dunstkreis dieser Macht bleiben oder sich zurückziehen wollten.

Du hast davon gewußt, sagt Medea im Ton einer Feststellung, und ich versuche, ihr zu erklären, daß es eine Stufenleiter des Wissens gibt, gewußt, ja, bis zu einem gewissen Grad, aber keine Einzelheiten. Und wieder vergessen. Oder was hätten wir sonst tun können, frage ich sie. Sie sagt, sie wisse es nicht. Es sei nur schade. Schade? frage ich. Ja. Schade, daß die Übereinkünfte so brüchig seien und bei jeder Belastung einfach beiseite geschoben werden könnten. Welche Übereinkünfte, frage ich. Das weißt du doch. Die Übereinkunft, daß es keine Menschenopfer mehr geben soll. Ich wundere mich, daß sie solche Übereinkünfte ernst nimmt, aber das sage ich nicht. Es gefällt mir nicht, wie sie heute redet, ihre Stimmung gefällt mir nicht, es ist, als bewege sie sich hinter einem Schleier.

Ich muß sie wachrütteln. Ich sage ihr, Akamas sei jetzt gefährlich, ihm sei jedes Mittel recht, seine Stellung im Palast wieder zu festigen. Da er mich brauche, hätte ich Schonung auf Zeit. Was ich ihr nicht sage, ist, daß ich meine ganze Erfahrung, meine ganze Klugheit, meine ganze List zusammennehmen muß und auch jene Fähigkeit brauche, die sie an mir verabscheut und die ich an mir nicht liebe, die Fähigkeit, zu schweigen und mich wegzuducken. In wohlüberlegten Abständen liefere ich Akamas Berechnungen, an Hand derer er günstige Voraussagen machen kann, die dann auch eintreffen, zum Beispiel über den Abschluß eines Handelsvertrags mit Mykene oder über hohe Geburtenzahlen beim Vieh. Ich sorge dafür, daß Akamas davon überzeugt sein kann, er, niemand anders als er habe diese Voraussagen gemacht, sie seien ihm im Traum erschienen, ich muß mein Licht unter den Scheffel stellen, damit sein Stern um so heller strahlen kann. Das Sternensystem an Kreons Hof hat sich neu gefügt, zuungunsten der kleinen Planeten, die in die gefährlichen Randzonen gedrängt wurden. Und, mit Händen ist es zu greifen, immer gefährlicher wird es für jeden, sich in den Abglanz jenes Lichtes zu begeben, das Medea ausstrahlt. Sie, ja sie ist das Zentrum der Gefahr. Und das Fürchterliche: Sie will es nicht wahrhaben.

Ich weiß nicht, was noch geschehen muß, damit du vorsichtiger wirst, sage ich ihr, und sie kriegt es fertig zu erwidern, eben weil ihr schon soviel geschehen sei, dürfe sie jetzt vielleicht damit rechnen, in Ruhe gelassen zu werden. Sie halte sich ja ganz still, was solle sie denn noch tun, oder lassen. Irgend etwas fehlt dieser Frau, was wir Korinther alle mit der Muttermilch einsaugen, das merken wir gar nicht mehr, erst der Vergleich mit den Kolchern und besonders mit Medea hat mich darauf gestoßen, es ist ein sechster Sinn, eine feine Witterung für die kleinsten Veränderungen der Atmosphäre um die Mächtigen, von der wir, jeder einzelne von uns, auf Leben und Tod abhängig sind. Eine Art ständigen Schreckens, sage ich ihr. So daß der wirkliche Schrecken, das Erdbeben, von manchen wie eine Befreiung erlebt wurde. Ihr seid merkwürdige Menschen, sagt sie, und ich: Ihr auch. Wir lachen.

Ich will ihr nicht sagen, daß die Sicherheit, die von ihr

ausgeht, von den meisten Korinthern inzwischen Hochmut genannt und daß sie dafür gehaßt wird. Über keinen anderen Menschen habe ich soviel nachgedacht wie über diese Frau, aber sie ist es nicht allein, auch die anderen Kolcherinnen geben mir zu denken, sie machen hier die niederen Arbeiten und tragen den Kopf hoch wie die Frauen unserer höchsten Beamten, und das Merkwürdigste ist, sie können sich nichts anderes vorstellen. Mir gefällt das ja, und zugleich beunruhigt es mich. In deiner Nähe, sage ich zu Medea, kommen mir immer nur gemischte Gefühle. Ach Leukon, sagt sie, du nimmst deine Gefühle mit deinen Gedanken gefangen. Laß sie doch einfach frei. Dann lachen wir wieder, und ich wünsche mir, ich könnte vergessen, in welcher Lage sie ist, könnte meinen Gefühlen freien Lauf lassen und es einfach genießen, der Freund einer Frau zu sein, die mir so vertraut ist wie kaum ein anderer Mensch und die mir immer fremd bleiben wird.

Wie Arethusa, aber das ist etwas anderes. Die Fremdheit der Geliebten erhöht ihren Reiz, der übrigens auch anderen Männern nicht verborgen bleibt, sie verstehen es alle, daß ich ihr erlegen bin, selbst Akamas ließ sich zu einer gönnerhaften Bemerkung über mein Liebesglück herab, es fehlte nicht viel, und er hätte mir auf die Schulter geklopft, von Mann zu Mann, mein Blick hielt ihn gerade noch davon ab. Also sind sie alle über uns im Bilde, zerreißen sich die Mäuler über mich, über die Leidenschaft, die mich nun doch ereilt hat, es ist mir unleidlich. Wenn sie wüßten, daß ich Arethusa teilen muß mit dem Alten, den sie alle nur den Kreter nennen und den manche für ihren Vater halten, es ist ihr frühester Liebesfreund, so nennt sie ihn. Sie war fast noch ein Kind, als er sie aufgelesen oder vielmehr hervorgezogen hat unter den Trümmern ihres Hauses, das, wie alle Häuser Kretas, wie die Paläste, deren Pracht unübertroffen gewesen sein muß, durch das Seebeben zerstört wurde, ganz Kreta muß ein Trümmerhaufen sein und ein Leichenfeld, ich weiß das nur aus den Schilderungen des Alten, Arethusa spricht nicht darüber, wie sie auch nie von der Überfahrt spricht auf dem Schiff, auf dem der Alte, damals ein Mann in den besten Jahren, für sie und sich selbst Plätze erkämpft hat. Mit Gewalt, soviel ließ er sich einmal entlocken. Es kommt vor, daß er sich sinnlos betrinkt, dann redet er mehr als sonst, aber niemals, wenn Arethusa dabei ist. Ich will mir die Szenen nicht vorstellen, die sich bei der Abfahrt dieses Schiffes abgespielt haben.

Der Alte ist immer noch ein kräftiger, wenn auch frühzeitig gealterter und gezeichneter Mann, er muß furchterregend gewesen sein, er gehörte in Kreta zu den Athleten, die bei den jährlichen Festspielen im Palast vor dem Königshaus und dem versammelten Volk mit Vorführungen glänzten, die im ganzen Mittelmeerraum berühmt waren. Arethusa hängt ihm an, das ist eine unumstößliche Naturerscheinung. Ich habe nur die Wahl, es hinzunehmen oder ganz von ihr abzulassen. Beides ist mir nicht möglich. Ich habe nicht gewußt, daß das Leben diese Art Schmerz bereithält, nur mit Medea kann ich darüber reden. Übrigens denkt sie nicht daran, mich zu bedauern. Ja, sagt sie, das nimmt dich mit, aber stell dir vor, dir wäre nie etwas widerfahren, was dich so mitnimmt. Und du lernst dich kennen, nicht wahr, durch das, was du tust. Ich tue ja nichts, versuche ich zu widersprechen. Ich warte doch bloß. Aber das läßt sie nicht gelten. Auch Warten sei eine Tätigkeit, der eine Entscheidung vorausgehen müsse, eben die, daß man warten wolle und nicht abbrechen. Im übrigen suche ich ja die Nähe von Arethusa, mache kein Hehl aus meinen Gefühlen und meinem Begehren, hocke Stunde um Stunde in ihrer Werkstatt und blicke auf ihre Hände, wenn sie die Gemmen aus dem Stein schneiden. Wie diese Hände zu mir sprechen, das kann sich kein Mensch vorstellen. Arethusa lächelt, nie schickt sie mich weg, immer leuchtet ihr Gesicht auf, wenn ich in der Tür stehe, zur Begrüßung schmiegt sie sich an mich. Verstehst du das, Medea, frage ich. Ja, sagt sie. Arethusa liebt zwei Männer, einen jeden auf andere Weise. Und du? frage ich herausfordernd, sie bleibt gelassen: Ich nicht. Sie umarmt Arethusa, sie lieben sich wie Schwestern, sie schlägt den Türvorhang zurück und geht zu Oistros.

Akamas sieht das ganz richtig, hier bin ich unter Menschen geraten, die sich nicht hineinziehen lassen in das Getriebe, das den Kosmos Korinth bewegt. Es ist Sand hineingekommen, es rüttelt und knirscht, sie scheint das nicht zu kümmern, mir macht es Sorge. Arethusa kann ich das nicht vorwerfen, ihr kann ich nichts vorwerfen, aber es kommt vor, daß ich Medea im stillen Vorhaltungen mache, wie sie so nüchtern die Anzeichen betrachtet, die auf die Zerrüttung Korinths hinweisen, als deutlichstes die Bestrebungen, sich Medeas zu entledigen. Sollen denn all die Jahre umsonst gewesen sein, in denen ich mich in Zurückhaltung geübt habe. Soll denn meine Haftung an diese ungeliebte Stadt nie aufhören.

Unsere Gedanken scheinen auf getrennten Wegen an einen ähnlichen Punkt gelangt zu sein, Medea sagt, ob mir auch schon aufgefallen sei, daß in jedem Übel doch auch ein Körnchen Gutes stecke. Denn wie hätte sie Oistros und ich Arethusa je kennenlernen sollen ohne den Ausbruch des Volkszorns gegen sie. Wie hätte sie sich, ohne verfolgt zu werden, in jenen entlegenen Teil der Stadt verirren sollen, in das Viertel der winzigen, in Gärten geduckten Lehmhütten, in denen die ärmsten Korinther, ehemalige Gefangene und deren Nachkommen, und allerlei zwielichtige Existenzen sich angesiedelt haben, unter denen Leute wie Oistros, Arethusa und der Kreter nicht auffallen.

Es war ein klarer durchsichtiger Frühsommertag, es war die Stunde, in der das Licht fast ohne Übergang in Dunkelheit fällt, vorher aber noch einmal eine Leuchtkraft sammelt, die selbst mir, der ich von Kindheit an daran gewöhnt bin, noch die Brust weiten kann. Das sind die Augenblicke, in denen ich dankbar bin, hier zu leben, und nichts anderes mir vorstellen kann, und genau mit diesem Gefühl stand ich auf der Plattform des Turms, von dem aus ich so viele Nächte in den Himmel geblickt hatte, hingegeben der unirdischen Schönheit der Sternenbahnen, deren verborgenen Gesetzen ich auf die Spur kommen wollte, das war mein Leben. Ich bin ja noch nicht alt, jedenfalls sagt Arethusa das, aber es war dahin gekommen, daß ich nur noch unter den Sternen Freunde hatte, nicht mehr unter den Menschen. Ich hielt freundlich Abstand zu den jungen Leuten, die bei mir lernen und von denen dieser und jener gute Anlagen und Wissensdurst zeigt, nicht nur das übliche rücksichtslose Interesse am eigenen Fortkommen wie Turon, der Klügsten einer, und einer der Gewissenlosesten.

Einer von meinen Schülern kam an jenem Nachmittag die Treppe heraufgehetzt, sie wissen, daß sie mich in dieser Stunde der Besinnung nicht stören sollen. Er rief: Sie jagen Medea durch die Stadt! Ich fragte noch: Wer? Aber ich wußte schon alles. Der Pöbel. So hatte es kommen müssen.

Ich lief die Treppe hinunter und trat ohne Umstände in

Akamas' Arbeitszimmer ein, in seinen großen Raum mit den vielen Fenstern und der umlaufenden Terrasse davor. Ich sagte: Bist du nun zufrieden. Er wollte sich zuerst ahnungslos stellen, ich aber, das kann ich mir beinahe selbst nicht mehr glauben, ich ging drohend auf ihn zu, daß er sich zur Wand zurückzog und beteuerte, er könne nichts machen, sie habe das Volk zu sehr aufgebracht. Das Volk? sagte ich, und da wollte er mir allen Ernstes die Geschichte mit dem Brudermord auftischen, die ja in diesem Raum ausgebrütet und von hier aus in Umlauf gesetzt worden war. Ach, sagte ich höhnisch, diese Leute sind ganz alleine auf die Idee gekommen, sich zusammenzurotten, der Frau aufzulauern und sie mit Schimpf und Schande durch die Straßen zu jagen, wie? So müsse es wohl gewesen sein, wagte Akamas mir ins Gesicht hinein zu behaupten; ich wisse doch nur zu gut, daß man sich einem entfesselten Volkshaufen nicht entgegenstellen könne. Man müsse ihn ins Leere laufen lassen. Ich schrie: Ins Leere? Du meinst in die Frau, oder was. Sie sollen sie totschlagen. Aber nicht doch, sagte Akamas, solche Massen sind doch feige, ihr wird schon nichts passieren.

Ich war außer mir, endlich. Er, schrie ich, er selbst habe den Pöbel angestiftet, und womöglich habe er ihn auch bezahlt. Dann erschrak ich. Natürlich hatte ich recht, das wußten wir beide, aber ich war zu weit gegangen. Das spürte auch Akamas, er straffte sich, kam langsam auf mich zu und sagte kühl: Das wirst du mir beweisen müssen, mein Freund. Er hatte gewonnen. Niemals würde ich einen Zeugen dafür finden, daß der große Akamas den Pöbel bestach, damit der sich über eine Frau hermachte. Und falls doch jemand toll genug wäre, das zu bezeugen, er wäre ein toter Mann. In jenen Minuten, als ich alle Möglichkeiten, Akamas zu überführen, in meinem Kopf durchspielte und verwerfen mußte, in jenen Minuten erst habe ich mein Korinth kennengelernt. Und ich begriff, daß es Medea zugefallen ist, die verschüttete Wahrheit aufzudecken, die unser Zusammenleben bestimmt, und daß wir das nicht ertragen werden. Und daß ich ohnmächtig bin.

Ungern denke ich an jenen Nachmittag, ungern rede ich zu Medea davon, obwohl ich das Wortgefecht, das ich Akamas lieferte, bis heute vor mir selbst vertreten kann. Wenn ich ihn schon nicht öffentlich zur Rechenschaft ziehen konnte – die Erkenntnis, daß ich ihn durchschaut hatte, habe ich ihm nicht geschenkt. Daß ich wußte, warum gerade jetzt mit haarsträubenden Anschuldigungen und nun auch mit Gewalt gegen Medea vorgegangen wurde: Weil man fürchten mußte, sie könnte einen Namen ins Spiel bringen, den wir alle vergessen wollten: Iphinoe. Es war mir eine Erleichterung, diesen Namen zum ersten Mal vor Akamas auszusprechen, ihm zu sagen, daß ich damals als junger Mensch in seinem Vorzimmer gesessen und vieles erlauscht habe, was ich nicht gleich verstand, und als ich es verstand, als sich mir aus bizarren Einzelteilen endlich ein Bild zusammensetzte, vor dem ich erstarrte, da war es zu spät. Wo leben wir denn, fragte ich Akamas zornig. Er antwortete nur mit einem Blick, der besagte: Das weißt du ganz genau. Ich beschrieb Medea die Szene, ich bekannte ihr, daß meine Kühnheit verflog, daß ein Gefühl von Vergeblichkeit mich lähmte, daß ich Akamas stehenließ und bald nicht mehr wußte, ob Klugheit oder Feigheit die Zügel in der Hand hatte, als ich den Mund hielt und statt dessen loslief, um sie zu suchen. Das weiß man oft nicht, Leukon, sagte sie, in solchen Verhältnissen.

Wir schwiegen. Als sie mich durch die Stadt jagten,

sagte sie, hatte ich Angst, und ich rannte um mein Leben, wie jedes verfolgte Tier gerannt wäre, aber ein Teil in mir blieb totenruhig und kalt, weil etwas geschah, was geschehen mußte. Es hätte schlimmer kommen können, sagte eine leise Stimme in mir. Ist es ein Trost, daß die Menschen überall herausfallen aus ihren Übereinkünften? Daß Flucht dir nicht weiterhilft? Daß das Gewissen keinen Sinn mehr ergibt, wenn du mit dem gleichen Satz, mit der gleichen Handlung verraten oder retten kannst? Es gibt keinen Grund mehr, auf den das Gewissen sich beziehen kann, das habe ich schon begriffen, als ich die Knöchelchen meines Bruders vom Feld aufsammelte, und wieder, als ich die zarten Knochen dieses Mädchens in eurer Höhle betastete. Es lag mir fern, dieses Wissen unter die Leute zu bringen. Ich wollte mir nur klarmachen, wo ich lebe. Du sitzt in deinem Turm und versammelst das Himmelsgewölbe um dich, Leukon, das ist ein fester Ort, nicht wahr, ich verstehe dich, ich habe zugesehen, wie deine Mundwinkel sich, seit ich hier bin, immer weiter nach unten gebogen haben. Ich bin schlechter dran, oder besser, wie man's nimmt. Es ist dahin gekommen, daß es für meine Art, auf der Welt zu sein, kein Muster mehr gibt, oder daß noch keines entstanden ist, wer weiß. Ich lief durch die Straßen, alle wichen mir aus, alle Türen fielen vor mir zu, meine Kraft ließ nach, ich geriet in die Außenbezirke. Die schmalen Pfade, die niedrigen Lehmhäuser, um eine Hausecke hatte ich Vorsprung vor meinen Verfolgern, da stand ein Mann auf dem Weg, ein kräftiger Mann mit roten unordentlichen Haaren, der wich nicht aus, der blieb stehen und fing mich auf und schleppte mich die paar Schritte bis zu seiner Tür und trug mich hinein. Das übrige weißt du. Seitdem habe ich wieder einen Ort in dieser Stadt.

Wenig später das Erdbeben. Es dauerte nur Sekunden, sein Zentrum lag im Süden der Stadt, wo die Ärmsten wohnen, unter ihnen die Kolcher. Mein Turm hat geschwankt, aber er ist nicht eingestürzt. Das unbeschreibliche Gefühl, wenn du den Boden unter deinen Füßen verlierst, steckt mir noch in den Gliedern, ich rannte hinaus, schreiende Menschen füllten die Straßen, der Weltuntergang schien nahe zu sein, in den Sternen hatte er nicht gestanden. Die Schäden am Palast hielten sich in Grenzen, Mauern waren nicht eingestürzt, es gab ein paar Verletzte unter den Dienstleuten und einen Toten. Aber König Kreon war in seiner Eigenliebe und seinem Unsterblichkeitsgefühl tief getroffen durch die Vorstellung, sein kostbares Leben könne ausgelöscht werden durch einen beliebigen Stein, der ihm zufällig auf den Kopf fiele. Ein Groll gegen jedermann sammelte sich in ihm, die Todesangst muß ihn nicht mehr verlassen haben, er wurde reizbar und gefährlich, und besonders Akamas bekam den neuen scharfen Ton zu spüren, den der König anschlug. Ich werde den Verdacht nicht los, daß wieder er es war, der, um von sich abzulenken, die Leute auf den Gedanken brachte, das Erdbeben könne durch Medeas böse Kunst über Korinth heraufbeschworen worden sein. Ich fragte Medea, ob sie das wisse. Sie nickte.

Einmal hatte ich die Möglichkeit, mit Lyssa über sie zu sprechen, es war am Abend des Erdbebens, das Medea bei Oistros überrascht hatte, ich fand sie dort, als ich nach meinem Lauf durch Trümmer ankam, um nach Arethusa zu sehen. Sie hatte vor Angst das Bewußtsein verloren, das Beben hatte in ihr das Unheil wieder lebendig werden lassen, in dem Kreta untergegangen war, Medea brachte sie zu sich, rieb ihr die Stirn mit einer belebenden Flüssigkeit ein und ließ sie dann bei mir, es zog sie zu ihren Leuten, in die zerstörten Stadtviertel, sie bat mich, nach Lyssa und den Kindern zu sehen. Das kleine Häuschen klebte noch an der Palastmauer, ich trat aus der verwundeten, stöhnenden Stadt in einen Ort der Ruhe. Lyssa gab den Kindern ein einfaches Abendbrot, zu dem sie mich einlud, ich merkte, wie hungrig ich war und wie mir die Gelassenheit wohltat, die von ihr ausging. Sie gehört zu den Frauen, die die Erde wieder anstoßen würden, falls sie einmal stehenbleiben sollte, sie hält das Leben der Menschen, die ihr anvertraut sind, fest in den Händen, man kann jeden beneiden, der in ihrer Obhut aufwachsen darf.

Lyssa hatte den beiden Jungen ihre Sorge um Medea verborgen, sie waren unbekümmert, lebensvoll, der eine, der dem Jason gleicht, ist stattlicher als der Dunkle, Lokkige, der wiederum wilder und ungebärdiger ist als der Bruder. Sie überboten sich in ihren Berichten vom Erdbeben, das sie als Abenteuer erlebt hatten. Ganz unvermittelt wurden sie müde, gingen schlafen. Auf einmal trat eine tiefe Stille ein. Wir saßen in der winzigen Küche, das Herdfeuer glühte noch, die Hausschlange raschelte in der Asche, wir fühlten die Erleichterung nach überstandener Gefahr, was morgen auf uns zukommen würde, kümmerte uns noch nicht, wir schwiegen, redeten dann in halben Sätzen über das, was uns durch den Kopf ging, auch über Medea, und es zeigte sich, daß wir von verschiedenen Ausgangspunkten zu ähnlichen Schlüssen gekommen waren. Lyssa sah wie ich, daß eine Art Siechtum Korinth befallen hat und kaum jemand gewillt ist, dieser Krankheit auf den Grund zu gehen. Lyssa fürchtete, über kurz oder lang werde ein Umschlag erfolgen zur Selbstzerstörung hin, sie kenne das, dann würden alle jene unseligen Kräfte losgelassen, die ein geordnetes Gemeinwesen zu binden wisse, und dann sei Medea verloren. Es war das erste Mal, daß ich mit einer Fremden über den Zustand unserer Stadt sprach, jetzt ging ich noch weiter und fragte sie, wo sie denn die Ursache sehe für unseren Niedergang. Sie fand, die Antwort liege auf der Hand. In eurer Selbstüberhebung, sagte sie. Ihr überhebt euch über alles und alle, das verstellt euch den Blick für das, was wirklich ist, auch dafür, wie ihr wirklich seid. Sie hatte recht, und ihr Satz klingt bis heute in mir nach.

Die Folgen des Erdbebens waren ja schlimmer als das Beben selbst. Das Königshaus kümmerte sich nur noch um sich, mit großem Pomp wurde ein höherer Hofbeamter bestattet, der von Trümmern erschlagen worden war, die düstere Prachtentfaltung zeigte den unseligen Presbon, der alle Selbstkontrolle verloren hatte, auf der Höhe seiner Talente und zugleich in seiner Armseligkeit und Skrupellosigkeit, denn selbst er hätte wissen müssen, daß diese Verschwendung die Wut der Korinther anheizen mußte, die ihr Hab und Gut verloren hatten und deren Tote oft noch wochenlang unter den Trümmern ihrer Häuser verwesten. Medea fand natürlich mit ihren Warnungen kein Gehör, aber sogar die Ärzte um Kreon mahnten an, man müsse diese Toten bergen und begraben, sie wußten aus Erfahrung, daß sie eine Gefahr für die Lebenden darstellten, und tatsächlich traten die ersten Fälle der Seuche in der unmittelbaren Nähe jener verwüsteten Viertel auf, wo die Überlebenden in notdürftigen Unterkünften zusammen mit den Ratten in Nachbarschaft der Toten hausen.

Wie sich mir die Nackenhaare sträubten, als Akamas mich rufen ließ und mir das Staatsgeheimnis anvertraute:

Wir haben die Pest in der Stadt. Das vergesse ich nicht. Bebend fragte ich Akamas, was er, was der König zu tun gedächten, er sagte mit schmalen Lippen, als sei es die selbstverständlichste Sache von der Welt: Wir verlassen die Stadt. Es sei dafür gesorgt, daß eine Panik, die ausbrechen könnte, im Keim erstickt würde. Die Sicherheitskräfte seien verstärkt. Und dann sagte Akamas einen Satz, den ich Medea bis heute nicht habe hinterbringen können. Er sagte: Und deine Medea wäre gut beraten, wenn auch sie sich aus Korinth entfernen würde.

Ich verstand ihn sofort. Ich kenne dieses Denken, ich bin damit aufgezogen worden, es ist auch in mir, ich stammelte: Aber ihr werdet doch nicht. Abergläubisch wagte ich meinen Verdacht nicht auszusprechen, Akamas verstand auch so, er sagte trocken: Warum nicht.

Die Pest breitet sich aus. Medea hat in diesen Wochen mehr als jeder andere getan, die Kranken verlangen nach ihr, sie geht zu ihnen. Aber viele Korinther behaupten, sie ziehe die Krankheit hinter sich her. Sie sei es gewesen, die der Stadt die Pest gebracht habe.

Es kann nicht sein, daß sie diese Stimmen nicht hört. Vorsichtig, umschreibend rede ich von dem Bedürfnis der Menschen, die eigene Last auf einen anderen zu legen. Von je hundert Gefangenen soll demnächst einer geopfert werden, um den Göttern Genüge zu tun und sie zu überreden, ihre strafenden Hände von der Stadt abzuziehen. Dies werde nichts nützen, sagt Medea. Sie werde es auch nicht zulassen. Mir wird kalt. Eindringlich beschwöre ich sie, sich nicht gegen die Gesetze von Korinth zu vergehen. Es wäre ihr lieb, wenn sie es nicht müßte, sagt sie knapp. Medea, sage ich, wenn sie nicht die Gefangenen opfern, werden sie sich ein anderes Opfer suchen. Ich weiß, sagt sie. Ich sage, weißt du auch, wie grausam Menschen sein können. Ja, sagt sie. Aber jeder hat nur ein Leben, sage ich.

Wer weiß, sagt sie.

Ich starre sie an. Was weiß ich von dieser Frau, was weiß ich, was sie glaubt. Ich möchte sie fragen, ob es einen Glauben gibt, der die, die ihm anhängen, von der Angst vor dem Tod befreit, von der wir besessen sind. Ich sehe sie in der aufsteigenden Morgenhelligkeit, ich frage sie nicht. Zum erstenmal denke ich, vielleicht hat sie ein Geheimnis, das mir verborgen ist. Woran ich mich halte, ist die Überzeugung, daß wir dem Gesetz nicht entgehen, das über uns genauso waltet wie über den Lauf der Gestirne. Was wir tun oder lassen, ändert nichts daran. Sie stemmt sich dagegen. Das wird sie vernichten. Du kannst machen, was du willst, Medea, sage ich ihr, es wird dir nichts nützen, bis ans Ende der Zeiten nicht. Was die Menschen treibt, ist stärker als jede Vernunft.

Sie schweigt.

Die Nacht schwindet, wir sitzen immer noch da. Die Sonne geht auf, die Dächer der Stadt funkeln und glitzern. So werden wir nie wieder zusammen sitzen. Ich begreife jetzt, was es heißt, das Herz ist einem schwer. Ich sehe keinen Ausweg, der nicht ein Unheil wäre. Was ich sagen konnte, habe ich gesagt. Was geschehen ist, kann nicht ungeschehen gemacht werden. Was geschehen soll, ist lange ohne uns beschlossen.

Wir schütten den Rest des Weines aus unseren Gläsern gegen die Sonne und sagen einander nicht, was wir uns dabei gewünscht haben. Ich habe mir gar nichts gewünscht. Ich denke, da ist ein Räderwerk in Gang gesetzt, das niemand mehr aufhalten kann. Meine Arme sind erlahmt.

Soll ich wünschen, daß auch Medea so müde wird, wie ich es bin.

Sie sagt, ich gehe also. Geh, sage ich. Ich stehe an der Brüstung und sehe ihr nach, wie sie über den Platz geht, der den Turm umgibt und der so leer ist wie die ganze Stadt. Leergefegt von der Furcht vor der Pest.

8

Das Fest hat sämtliche rituellen Charakteristiken
verloren, und es geht insofern schlecht aus,
als es zu seinen gewalttätigen Ursprüngen
zurückfindet. Es ist kein Hindernis mehr
für die bösen Kräfte, sondern deren Verbündeter.

René Girard, ›Das Heilige und die Gewalt‹

Medea

Ich warte. Ich sitze in der fensterlosen Kammer, die man mir angewiesen hat, und warte. Vor der Türöffnung, durch die ein Schimmer von Licht hereinfällt, stehen zwei Wachen, mit dem Rücken zu mir. In der großen Halle sitzen sie über mich zu Gericht.

Jetzt ist alles klar. Sie meinen mich. Ich hätte nicht zu ihrem Opferfest gehen dürfen, sagt Lyssa, das sei der reine Hochmut gewesen. Ich widersprach ihr nicht mehr wie an dem Morgen, wann war das, gestern, vorgestern, vor drei Tagen, als ich früh erwachte und mich bereit fand, die Einladung der Artemis-Priesterinnen anzunehmen und als Fremde zum großen Frühlingsfest der Korinther zu gehen. Hochmut? Ich weiß nicht, eher etwas wie Zuversicht, die ich an jenem Morgen verspürte. Kraft zur Versöhnung. Eine ausgestreckte Hand, dachte ich, warum sollten sie sie verschmähen. Heute weiß ich warum. Weil sie ihre Angst nur durch Raserei gegen andere mildern können.

Es war ein schöner Morgen. Ein Traum, der sich beim Erwachen auflöste, hatte eine Schleuse geöffnet, ein Wohlsein strömte in mich ein, ohne Grund, aber so ist es ja immer. Ich warf das Schaffell zurück, unter dem ich geschlafen habe, seit ich von Kolchis wegging, sprang von meinem Lager auf, die Kälte des Lehmfußbodens gab mir einen Schlag, genußvoll setzte ich einen Fuß vor den anderen, streckte die Arme, drehte mich um mich selbst, stellte mich

in das noch matte Licht, das von der Tür her einfiel. Da
schwamm sie, die Mondsichel, im Nachtblau, eine leicht
geneigte offene Schale, abnehmend, mich erinnernd an
meine abnehmenden Jahre, meine kolchische Mondin, mit
der Kraft begabt, die Sonne jeden Morgen über den Rand
der Erde heraufzuziehen. Und jeden Morgen die Bangig-
keit, ob die Gewichte noch stimmen, ob ihr Einklang nicht
über Nacht gestört, ihre vorgeschriebenen Bahnen nicht
um ein weniges verrückt wurden und dadurch der Erde
eine jener Schreckenszeiten bevorstehe, von denen die alten Geschichten reden. Für diesen Tag aber sollten die guten Gesetze noch gelten, die den Lauf eines Gestirns an den
aller anderen binden, freudig sah ich, wie der nächtliche
Horizont sich allmählich mit Tageshelle auffüllte. Dieser
Tag jedenfalls würde sein wie der davor und wie der danach, auch die genauen Instrumente meines Leukon würden die winzige Spanne nicht messen können, um die der
Bogen, den die Sonne über Korinth beschreibt, sich dem
Scheitelpunkt nähern würde, den er zur Sommersonnen-
wende erreicht haben wird.

Dann werde ich nicht mehr hier sein. Weder Helion, der
Sonnengott, noch meine liebe Mondgöttin werden davon
Notiz nehmen. Schwer, langsam, aber endgültig habe ich
mich von dem Glauben gelöst, daß unsere menschlichen
Geschicke an den Gang der Gestirne geknüpft sind. Daß
dort Seelen wohnen, ähnlich den unseren, die unser Dasein
betrifft, und sei es, indem sie die Fäden, die es halten, miß-
günstig verwirren. Akamas, des Königs oberster Astronom, denkt wie ich, das weiß ich seit einem Blickwechsel
bei einer Opferfeier. Wenn wir uns auch beide verstellen,
so doch aus verschiedenen Gründen und auf verschiedene
Weise. Aus abgrundtiefer Gleichgültigkeit gegenüber je-

dermann gibt er sich als der eifrigste unter allen Dienern der Götter, ich, indem ich mich, so oft ich kann, den Ritualen entziehe, aber schweige, wenn ich an ihnen teilnehmen muß, aus Mitleid mit uns Sterblichen, die wir, wenn wir die Götter entlassen, eine Zone des Grauens durchqueren, der nicht jeder entkommt. Akamas denkt, er kennt mich, aber seine Selbstverblendung hindert ihn, irgend jemanden zu kennen, am wenigsten sich selbst. Jetzt will er sich an meiner Angst weiden. Ich muß meine Angst eindämmen. Ich darf nicht aufhören zu denken.

An jenem Morgen, dessen Einzelheiten so kostbar geworden sind, hörte ich, wie Lyssa nebenan in die Asche blies, wie die Flamme knisternd nach den Olivenästchen griff, die sie sorgsam geschichtet hatte, wie sie den Wassertopf auf die Herdstelle rückte und begann, den Teig für die Gerstenfladen mit klatschenden Schlägen weich und schmiegsam zu machen. Auf den Schilfmatten, die sie geflochten hatte und die meinen Füßen gut tun, ging ich zu der Truhe mit meinen Habseligkeiten, unter ihnen das weiße Kleid, das ich in Kolchis zu den hohen Festen trug, das sie, Lyssa, für mich mitgenommen hat und das ich in letzter Zeit kaum noch angezogen habe. Ich nahm es heraus, schüttelte es glatt, betastete es. Vielleicht war es dünnfädiger geworden im Lauf der Jahre, doch es war in gutem Zustand, unverschlissen. Ich mußte lachen, wie ich da nackt auf der Matte stand, mich zuerst mit Blicken, dann mit den Händen abtastete, nicht mehr junges, doch immer noch festes Fleisch, das aufblühte unter Oistros' Händen, nicht mehr schlank, schwerer in den Hüften, meine Hände mußten die Brüste anheben, doch meine Haut hatte die schöne dunkle Bräune behalten, meine Hand- und Fußgelenke waren schmal geblieben, Fesseln wie eine Geiß, sagt

Oistros, und mein Haar war wieder kraus und füllig wie eh und je. Wenige Wochen war es her, daß ich mir meine Haare in Büscheln von der Kopfhaut ziehen konnte und daß sie in Mengen in der Eselsmilch schwammen, mit der Lyssa sie mir spülte, wir wußten beide, kein Mittel half gegen den Kummer, der mir die Haare nach meinem schweren Fieber vom Kopf löste und über den ich nicht sprechen konnte. Es war ein Lebensschmerz, der nicht nur mich betraf, auch nicht nur die arme Iphinoe, deren Gebeine in der Höhle ihn ausgelöst hatten, ein Gefühl, das sich in mir ausbreitete und tiefer, düsterer wurde, gesteigert durch den Haß der Agameda, die Verräterei des Presbon und die Skrupellosigkeit des Akamas, die alle zusammen die dumpfe Menge gegen mich aufhetzten. Die Wende kam, als sie mich durch die Straßen trieben. Auf einmal wußte ich, daß ich leben wollte. Und dann Oistros. Oistros ist ein starker Anlaß. Ich erlebe diese Wiedergeburt aus Liebe nicht zum ersten Mal, auch mein Haar hält nun wieder an mir fest. Sie könnten mich an meinen Haaren durch die Stadt schleifen.

Nachdem ich mein Gesicht, dann die Arme in die Schüssel mit dem Quellwasser getaucht hatte, streifte ich das Kleid über, prüfte seinen lockeren Fall, band das Haar mit der weißen Binde der Priesterin zurück, wie es dem Festtag entsprach, und ging zu Lyssa hinüber, die mit dem Rücken zu mir am Herd die erste Portion Fladen buk, die jenen würzigen, leicht brenzligen Geruch verbreiteten, der bei uns zu Hause die Feiertage ankündigte. Auch für die Kolcher und Kolcherinnen brach das Frühlingsfest an, aber hier erzeugen unsere Bräuche, auch wenn wir sie pünktlich, vielleicht allzu pünktlich befolgen, nur einen schwachen Abglanz jener Festtagsstimmung, aus der heraus sie in Kolchis immer wieder neu geboren wurden. Und doch war dieser schwache Abglanz besser als nichts, so fühlen die meisten, und ich mische mich nicht in ihre Gefühle ein.

Lyssa wandte sich um, sah mich in meiner Festkleidung, erschrak. Ob ich so heute gehen wolle. Ja. Aber wohin? Zum Artemis-Fest der Korinther. Lyssa schwieg. Ich sah sie genauer an, sie war älter geworden, rundlicher, zugleich fester. Sie ist es ja, die jede Einzelheit unserer manchmal komplizierten Rituale in ihrem Gedächtnis aufbewahrt, sie an die Jüngeren weitergibt und unerschütterlich auf ihrer Einhaltung besteht. Nie konnte sie es billigen, wenn eine Kolcherin, wenn ausgerechnet ich zu einem großen Fest der Korinther ging, nie würde sie meinen Grund dafür anerkennen, nie zugestehen, daß eine versöhnliche Haltung uns Kolchern nützen könnte. Sie sagte bitter, ich entferne mich ganz umsonst von den Kolchern, die Korinther würden mir das nie danken. Sie hat recht behalten, und ich habe mich getäuscht. Und doch müßte ich wieder das gleiche tun. Ich würde wieder hier enden, in diesem elenden Raum, in dem die Luft mir knapp wird, getrennt von allen, von Lyssa und meinen Kolchern, von Oistros und Arethusa, von den Korinthern, die über mich zu Gericht sitzen, und auch von Jason und meinen und seinen Kindern. So hat es kommen müssen.

Der Duft der frischen Fladen trieb meine Jungen herein, wie zwei Fohlen, die Heu wittern, sagte ich, und sie verbündeten sich sofort mit Lyssa, von wegen Heu, schrien sie, und lustvoll spielten wir noch einmal die Rollen, die wir so viele Male gespielt hatten, die drei gegen mich, unsere Stimmen stritten, unsere Augen lachten. Dann nahmen die Knaben meinen Aufzug wahr, verstummten, umkreisten mich, befingerten den Stoff meines Kleides, schnalzten bewundernd, das tat mir gut, wie lange konnte die Bewunderung dieser Kinder noch der Mutter gelten.

Dann zerrissen sie den ersten Fladen, stopften ihn sich in die Münder, auch ich bekam Heißhunger, begann zu essen, dabei blickte ich mich in der Küche um, sah jedes Stück so deutlich wie zum letzten Mal, jede Gerätschaft, das Keramikgeschirr, die Töpfe auf dem Wandbrett, den splittrigen Holztisch, Lyssas vertraute Gestalt und besonders die Kinder, die so verschieden sind, als kämen sie nicht von der gleichen Mutter. Meidos, der größere, blonde, blauäugige, zu dem Jason schon immer besonders gerne »mein Sohn« gesagt hat, mit dem er stundenlang über Land reitet und auf den er die Entfremdung, die sich zwischen uns ausgebreitet hat, nicht überträgt. Und ich vermeide es, diesem Kind die helle Bewunderung für seinen Vater zu trüben, diesen Schmerz halte ich fest am Zügel. Pheres dagegen, mein Kleiner, rund und fest wie ein braunes Nüßchen, nach Gras riechend, wollhaarig, dunkeläugig, hingegeben dem Genuß des Essens wie jeder anderen Tätigkeit, jedem Spiel, mit diesem gesammelten Gesicht, das ich an ihm so liebe, mit dem schnellen Wechsel von Licht und Schatten auf seinen Zügen, mit seiner Fähigkeit, von einem Augenblick zum anderen von Ernst in Übermut zu fallen, trostlos zu weinen und vor Lachen außer sich zu sein. Sie bestürmten mich beide, ich solle sie mitnehmen zum Fest, ich gebrauchte eine Ausrede. Sie wollte ich beim Fest der Korinther nicht dabei haben.

Vielleicht ist es eine gnädige Fügung, daß uns ein Hochgefühl überkommt, wenn wir vor dem Abgrund stehen. An jenem Morgen waren alle Lasten von mir abgefallen, ich lebte, meine Kinder waren gesund und heiter und hingen an mir, ein Mensch wie Lyssa würde mich nie verlassen, die bescheidene Hütte umschloß etwas wie Glück, ein Wort, das mir viele Jahre nicht mehr in den Sinn gekommen war. Vielleicht wird dem, der geduldig ist und warten kann, für jeden Verlust ein Gewinn, für jeden Schmerz eine Freude geschenkt, solche Gedanken gingen mir durch den Kopf, während ich, unter den vielen Korinthern, die zum Opferfest wollten, die Straße zum Artemis-Tempel hinaufstieg.

Aber was soll das. Was zwingt mich, gerade jetzt, gerade hier, mir diesen Morgen, der ein Zeitalter zurückzuliegen scheint, Stück für Stück wieder heraufzuholen. Durch die Türöffnung habe ich sie eben alle an mir vorbeiziehen sehen, habe ihre Schritte näher kommen hören, die Wachen neben meiner Tür, lächerlicherweise mit einem Speer bewaffnet, diese jungen verlegenen Männer hätten mir die Aussicht auf die Näherkommenden versperren können, sie taten es nicht. Ich sah sie alle. König Kreon mit verkniffenem Gesicht, in seinem Gerichtsmantel, umgeben von seinen persönlichen Wächtern und gefolgt von den Ältesten, die das Recht haben, Urteile zu fällen. Die Zeugen, unter ihnen der Oberpriester der Artemis, auch der unglückselige Presbon natürlich, in dessen Händen der reibungslose Ablauf des Festes gelegen hatte, den ich gestört haben soll. Und dann, als eine der wenigen Frauen, Agameda. Sie war die einzige, die einen Blick in mein Verlies warf, einen hochmütigen, triumphierenden, haßerfüllten Blick. Sie könnten mich vor ihren Augen in Stücke schneiden, ihren Haß würde sie nicht loswerden. Als letzte kamen Jason und Glauke, mein Herz machte einen Sprung. Er hielt mit der Hand ihren Oberarm umspannt und führte sie, die bleich und angegriffen aussah, beide blickten unverwandt geradeaus, beide hatten ihre Lippen aufeinandergepreßt. Was für ein Paar. He Jason, hätte ich am liebsten gerufen mit dem Rest meines früheren Übermuts, wohin bist du geraten. Es stimmt also, was man sich über ihn erzählt, er wird die arme Glauke zur Frau nehmen und nach Kreons Tod über Korinth herrschen. Sie müssen mich loswerden, sie haben keine Wahl.

Ich war ruhig, während ich zum Heiligtum hinaufstieg. Ich mußte es tun, das macht mich immer ruhig, sogar jetzt, obwohl diese Ruhe eher eine Starre ist. Die schöne grausame Stadt Korinth. Ich nahm sie noch einmal wahr, das letzte Mal, sagte etwas in mir, oder bilde ich mir das jetzt ein. Ich lief unter festlich gekleideten Menschen, viele kannten mich, manche grüßten, die meisten sahen weg, es war mir gleichgültig. Viele trugen das Abzeichen der Trauer an ihrer Kleidung, die Pest hatte kaum eine Familie verschont, daß sie abflaue, war eine Zweckmeldung aus dem Palast. Je höher wir kamen, um so deutlicher sahen wir die Landschaft um die Stadt, Frühlingsgrün, das bald verdorren würde, und wir sahen die Karren, die die Leichen der letzten Nacht zum Fluß brachten, und die Nachen, die sie übersetzten in die Totenstadt. Niemand wollte auf die Totenfuhren achten. Mir war das Gold der Türme von Korinth wie ein Vorschein des Todes, und die Herde der zwanzig Stiere, die zum Opfer bestimmt waren und auf einem anderen Weg den Berg hinaufgetrieben wurden, ihr angstvolles Brüllen, das zu uns herüberdrang, kam mir wie ein Unheilszeichen vor. Je näher wir dem Tempelbezirk kamen, desto mehr schwand das Wohlgefühl dieses Morgens, die Bedrückung, die über dem Menschenzug lag, senkte sich auch auf mich. Waren wir nicht alle Opfer, zur stillen Duldung gebrachte Opfer, die zur Schlachtbank trotteten. Ich sagte mir, ich bin Medea, die

Zauberin, wenn ihr es denn so wollt. Die Wilde, die Fremde. Ihr werdet mich nicht klein sehen.

Und doch. Jetzt, auf meiner Wartebank in dieser Kammer, die schon dem Verlies gleicht, in das sie sich schnell verwandeln kann, frage ich mich, ob dieses Ende unvermeidlich war. Ob wirklich eine Verkettung von Umständen, gegen die ich machtlos war, mich auf diese Bank getrieben hat, oder ob aus mir heraus etwas, das ich nicht in der Hand hatte, mich in diese Richtung drängte. Nutzlos, jetzt darüber nachzudenken. Aber meine Vernichtung durch äußere Mächte würde ich leichter ertragen, das ist wahr. Leichter, schwerer – Worte aus einem früheren Leben.

Oistros und die liebe Arethusa, die nun auch von der Krankheit niedergeworfen wurde und die ich verlassen mußte, wir drei haben in langen nächtlichen Gesprächen unsere Erfahrungen in Korinth hin und her gewendet. Wie diese Stadt darauf angelegt ist, ihre helle, strahlende, verführerische Seite plötzlich umzukehren ins Düstere, Gefährliche, Tödliche. Wie diese ständige Gefahr die Bewohner der Stadt zwingt, Vorkehrungen dagegen zu treffen, einander in Masken zu begegnen, unter denen, wie sich gezeigt hat, eine dumpfe Wut sich anstaut. Oistros unterbrach mein Grübeln darüber, ob es an mir gewesen wäre, sie versöhnlicher zu stimmen. Weißt du, was als einziges dir geholfen hätte? sagte er. Wenn du dich unsichtbar gemacht hättest wie wir, Arethusa und ich. Im Verborgenen leben, kein Wort sagen, keine Miene verziehen, dann dulden sie dich. Oder vergessen dich. Das Beste, was dir passieren könnte. Aber das steht dir nicht frei.

Er hat recht. Was beraten sie so lange. Sind sie womöglich nicht alle einer Meinung. Gibt es doch Widerspruch.

Aber von wem. Könnte es sein, daß mein lieber Jason sich ermannt und ihrem Urteil widerspricht? Aber warum sollte er das tun. Um etwas gutzumachen? Unwahrscheinlich. Einer der Wachmänner bringt mir einen Becher Wasser. Ich trinke gierig. Wie durstig ich bin. Wie ich in den Zügen des jungen Mannes nach einer Spur von Mitgefühl suche. Ich finde keine. Er tut, was man ihm aufgetragen hat. Ich finde auch keinen Abscheu in seinem Gesicht, nur Gleichgültigkeit. Die Korinther haben nach den Ausschreitungen beim Opferfest ihr Gleichgewicht wiedergefunden. An jenem Morgen, in dem langen Zug zum Heiligtum der Artemis, spürte ich eine unheilvolle Gewalt, die sich in der Menschenmenge zusammenballte, die sich Luft machte in Streitigkeiten, Rempeleien am Wegrand, mehr noch in dem verbissenen Schweigen der meisten, in ihren verkrampften Bewegungen, ihren kalten, verstörten, verschlossenen Gesichtern. Ich roch die Ausdünstung der Angst, die wie eine Wolke über dem Zug hing, ich begann, die harte Faust zu spüren, die gegen meinen Magen drückte, sie drückt auch jetzt, ich gehe dagegen an, wie ich es von Kindheit an geübt habe, ich schließe die Augen und sehe mich immer den gleichen Fluß entlang gehen, der unserem Fluß Phasis gleicht, mit seinen sanften Uferhängen, mit üppigen Pflanzen, mit Gesichtern von Menschen, die mir zugewandt sind, und der Druck der Faust läßt langsam nach. Als ich Glauke einmal diese Übung anempfahl, brach sie nach kurzer Zeit in Tränen aus, weil sie sich innerlich nicht lösen konnte von der Vorstellung, den langen öden Wüstenweg in Richtung der Totenstadt zu gehen. Ich habe ihr nicht weiter helfen können, meine Kraft zu heilen hat mich verlassen.

Viele in dem Zug führten bescheidene Opfergaben mit

sich, die Vorräte in der Stadt waren nach der Dürre des letzten Jahres fast aufgezehrt, kaum jemand hatte der Göttin mehr darzubringen als ein Ährenbündel, einen Zweig mit Oliven, ein paar getrocknete Feigen, niemand brachte ein Böckchen wie in den früheren Jahren. Die zwanzig Stiere, die vor uns auf dem Gipfel angekommen waren und unverzüglich zu den Opferaltären getrieben wurden, würden für viele das erste Fleisch seit Wochen geben. Auch ich war hungrig und ertappte mich bei dem Gedanken, später heimlich etwas von dem Opferfleisch für die Söhne beiseite zu schaffen. Hinter mir hörte ich zwei Korinther leise darüber reden, daß die Opferstiere aus den geheimen Vorräten gefüttert worden seien, die der Palast angelegt hat und deren Versteck einer der beiden zu kennen vorgab, was den anderen zu erschrecken schien, denn er beschwor seinen Gefährten, bloß niemandem etwas zu verraten, vor allem nicht ihm. Wer dieses Geheimnis besitze, ohne dazu befugt zu sein, sei des Todes. Ha, sagte der andere frech, aber ehe sie ihn schnappten, würde er es laut herausschreien, wie sie in diesen Notzeiten im Palast lebten, sein Schwestersohn sei einer der Unterköche im Königshaus, er wisse Bescheid. Aber ehe er dem zu Tode Erschrockenen noch weitere Einzelheiten aufdrängen konnte, wurde ihm das Wort abgeschnitten durch das grauenhafte Gebrüll der Stiere, das uns das Blut in den Adern stocken ließ. Alle auf einmal waren sie von geübten Opferpriestern abgestochen worden.

Ich habe viel Ungeheures gehört, niemals zuvor etwas Ungeheuerlicheres als dieses Brüllen der geopferten Kreaturen, es war, als schrien sie unser aller Not und Schmerz und unsere Anklage in den Himmel. Unser Zug war mit einem Ruck stehengeblieben. Als Stille eintrat, bewegte er sich hastig vorwärts, aufwärts, bis wir, hoch über der Tempelmauer, das Bild der Göttin sahen, Artemis. Ein Anblick, der die Korinther erschauern ließ, und das sollte er auch. Ein Ruf kam auf, schwoll an: Groß ist die Göttin der Korinther, Artemis. Ich stimmte in den Ruf nicht ein und erregte Anstoß. Eines der alten Weiber, die sich in einer eng aneinandergedrängten Gruppe schon länger in meiner Nähe herumdrückten, zischte mich an, ob ich mir zu schade sei, ihre Göttin zu preisen. Nein, sagte ich, aber das Weib wollte gar nichts hören, eine heftige Bewegung der Menge riß uns auseinander. Ein Unbehagen kam in mir auf, aber der Gedanke, umzukehren, ist mir nicht gekommen. Warum eigentlich nicht.

Agameda meint, es sei eine Form von Hochmut, auf Haß nicht mit Haß zu antworten und sich so über die Gefühle der gewöhnlichen Menschen zu erheben, die Haß genauso brauchen wie Liebe, eher mehr. So spricht sie natürlich nicht mit mir, wir gehen uns lange schon aus dem Weg, Zuträgerinnen hinterbringen mir fleißig, was sie über mich in Umlauf setzt. Auf dem Fest habe ich sie wiedergetroffen. Nur ein Wort schleuderte sie mir entgegen, als das Fest aus den Fugen geraten war, als es sich in einen brodelnden Kessel von Gewalt verwandelt hatte und sie mir im Altarhof plötzlich gegenüberstand: Scheusal.

Einzelne Worte haben sich schon immer in mir festsetzen können. Jetzt steht sie, Agameda, womöglich vor den Ältesten und sagt ihnen dieses eine Wort über mich, auf das sie gewartet haben, nach dem sie dankbar schnappen werden. Nichts Besseres kann ihnen passieren, als daß eine Kolcherin genau das über mich sagt, was sie schon lange denken. Und ich könnte ihr, Agameda, nicht einmal Falschheit vorwerfen. Was sie über mich verbreitet, das fühlt sie auch, nicht der Hauch eines Zweifels rührt sie an. Das sagte ich Oistros, der eine tiefe Abneigung gegen Agameda hat, da wurde er wütend. Ich solle mich nicht immer in die Gefühle der anderen versetzen, sagte er scharf.

Ich glaube, wir wußten beide, daß ich in der Falle saß. Auch Lyssa wußte es. Sie entließ mich heute früh mit einem tränennassen, zornigen Gesicht, ich durfte mich nicht von den Kindern verabschieden. Ich bin sicher, sie hat Arinna Bescheid gegeben. Arinna, die seit Wochen verschwunden war, über die Gerüchte umgingen, sie sei mit einer kleinen Gruppe von Frauen in die Berge gegangen. Da stand sie plötzlich, hager geworden, tiefbraun, mit verwildertem Haar. Sie forderte mich auf, mit ihr zu gehen. Sie wollte mich retten. Ich spürte einen starken Zug in mir, ihr zu folgen, in wenigen Augenblicken rollte das Leben vor mir ab, das ich dann führen würde, ein hartes Leben voller Entbehrungen, aber frei, und unter der Obhut von Arinna und den anderen jungen Frauen. Es geht nicht, Arinna, sagte ich, und sie: Warum nicht. Ich konnte es ihr nicht erklären. Komm zu dir, Medea! sagte Arinna eindringlich. So hat noch nie jemand mit mir gesprochen. Es geht nicht, sagte ich noch einmal. Arinna hob verzweifelt die Schultern, drehte sich um und ging.

Jetzt bin ich müde, ich habe kaum geschlafen. Die wüste Nacht des Festes steckt mir in den Knochen. Der Tag war ruhig verlaufen, man hatte der Göttin in großer Zeremonie die besten Stücke der Opfertiere dargebracht, man hatte ihr die Stierhoden angeheftet, in drei Reihen übereinander, Agameda, sah ich, war die einzige Kolcherin, der es gelungen war, sich unter die Mädchen aus Korinth zu mischen, die die Hoden reinigen und am Bild der Göttin anbringen durften, um sie dann als Versprechen dauernder

Fruchtbarkeit durch die Straßen der Stadt zu tragen. Während die Hörner der Stiere auf der Tempelmauer befestigt wurden und man auf dem Opferberg die Feuer anzündete, über denen das Fleisch gebraten wurde, vertrieb sich das Volk die Zeit mit Tänzen, Gesang und Gaukelei. Presbon hatte Festspiele vorbereitet, wie Korinth sie noch nicht gesehen hatte, er trieb Massen von Mitwirkenden in Kostümen über die Festwiese, die den Korinthern ihre Ruhmestaten in Erinnerung riefen, er heizte eine Stimmung an, die in Raserei umschlug, als kurz vor Anbruch der Dunkelheit zwei atemlose Männer aus der Stadt heraufgehetzt kamen, Wächter, wie man an ihrer Kleidung sah. Sie brachten die Nachricht, ein Trupp von Gefangenen habe sich mit Hilfe eingeschmuggelter Waffen aus seinem Verlies befreit und, die Menschenleere auf den Straßen ausnutzend, drüben in der Totenstadt einige der reichsten Gräber erbrochen und ausgeraubt. Nach einer Totenstille brach ein Geheul unter den Feiernden aus, das schon lange auf seinen Anlaß gewartet hatte. Es kam, wie es kommen mußte. Die Menge suchte nach Opfern, um ihren Rachedurst zu stillen. Unschlüssig wogte sie hierhin und dorthin, mit Schrecken dachte ich daran, daß einige Kolcherinnen mir gefolgt waren, aber sie waren es nicht, gegen die man losging. Man erinnerte sich der Gefangenen, die vor der Willkür ihrer Herren im Tempel Asyl gesucht hatten und dort niedere Dienste verrichteten, das sollte ein Ende haben, sie sollten die Untat der anderen büßen. Ich hetzte zum Tempeltor, beschwor die verängstigten Priesterinnen, ganz junge Mädchen zumeist aus den besseren Häusern, sie sollten es nicht zulassen, sollten die Tür verriegeln, einen Balken dagegenstemmen. Sie gehorchten mir, weil sonst niemand da war, der ihnen Befehle erteilte, die

Menge hämmerte gegen die Tür, ich schlich mich durch den geheimen Ausgang hinter dem Altar hinaus und versuchte, mir Gehör zu verschaffen, man dürfe den großen Tag der Göttin nicht entweihen, ich schrie in die aufgerissenen Münder, die haßverzerrten Gesichter, ich dachte, nur durch eine Angst, die größer war als ihre Wut, könnte ich ihre Mordlust dämpfen, da trat ein Alter auf mich zu, zahnlos, ein zerklüftetes verbranntes Gesicht, er schüttelte die Fäuste gegen mich. Die Ahnen hätten der Göttin Menschen zum Opfer gebracht, das habe der sehr wohl gefallen, und warum solle man nun nicht zu den alten Bräuchen zurückkehren. Die Menge brüllte Zustimmung, ich hatte verloren. Man fing an, mich zu beschimpfen, gegen mich vorzurücken, sollen sie doch, dachte ich, wenn es schon sein muß, dann jetzt gleich, dann hier. Da hatten sie schon das Tempeltor aufgebrochen, die Priesterinnen waren geflohen, verängstigt hockten die Gefangenen am Altar, viele Hände griffen nach ihnen. Ich war mit in den Tempel geschoben worden, sie drängten mich, so daß ich auf einmal Auge in Auge vor dem Anführer stand, einem wüsten Kerl, er triumphierte unverhohlen. Was sagst du jetzt, brüllte er, ich sagte leise: Nehmt nur einen. Nur einen, brüllte er, warum denn das. Ich sagte, ihre Vorfahren hätten auch nur einen ausgewählten Menschen der Göttin zum Opfer gebracht, alles andere sei Frevel, Mord im Tempel aber werde schwer bestraft. Sie staunten, zauderten, fingen an, sich flüsternd zu beraten, der Alte, der das Wort geführt hatte, sollte entscheiden, er spreizte sich, nickte endlich. Sie zogen einen Mann aus dem Gefangenenpulk, der sich wild wehrte, er schrie und flehte, berief sich auf sein Recht, im Tempel Schutz zu finden, er war ein ungeschlachter, großer Mensch mit geschorenem Schädel und einem mächtigen krausen Bart, sein Gesicht werde ich nie vergessen können, seine auf mich gerichteten blutunterlaufenen Augen. Man schleifte ihn zum Altar, ich wandte mich nicht ab, ich sah, wie der wüste Kerl ihn abstach. Das Blut, Menschenblut, lief in die Opferrinne.

Den habe ich auf dem Gewissen. Etwas nie wieder Gutzumachendes war geschehen, und ich hatte meine Hände im Spiel. Die anderen hatte ich gerettet, das galt mir nichts. Warum war ich aus Kolchis geflohen. Es war mir unerträglich erschienen, vor die Wahl zwischen zwei Übeln gestellt zu sein. Ich Törin. Jetzt hatte ich nur noch zwischen zwei Verbrechen wählen können.

Ich weiß nicht, wie ich auf den Tempelhof, wie ich zur Artemis-Statue gekommen bin. Was ich zuerst wahrnahm, waren die Hoden der geopferten Stiere, die man der Göttin angeheftet hatte, als hätten ihre Brüste sich über den ganzen Leib vervielfältigt. Ein ekliger Behang. Sie stanken, die Stierhoden. Ich spuckte darauf. Sollten sie mich doch auch abstechen, die feinen Korinther, das war der richtige Augenblick, ich war bereit. Aber immer noch kannte ich sie nicht. Sie mieden mich jetzt wie eine Aussätzige. Eine unsichtbare Hand hatte einen Kreis um mich gezogen, den keiner von ihnen übertrat. Ich weiß nicht, wie lange ich da gestanden habe, am Fuß des Artemis-Bildes, sie im Blutrausch, ich todnüchtern. Ich sei zum Fürchten gewesen, sagte Lyssa mir später, die mir gefolgt war und sich heimlich in meiner Nähe gehalten hatte. Die Dunkelheit brach herein, das gare Stierfleisch wurde von den Spießen geschnitten, abgefetzt, sie balgten sich darum, sie rissen es den Kindern aus den Händen, das noch Blutige fraßen sie roh. So dicht liegt das blutrünstige Innere unter der gezähmten Außenschicht. Mich schaudert. Ich bin in ihrer Hand.

Von hundert Augenpaaren fühlte ich mich aus dem flackernden Halbdunkel belauert, ich zog mich aus dem Kreis der Feuer zurück, sie hinderten mich nicht. Ich stolperte über Gestrüpp, erbrach mich, stolperte weiter, bergab, durchquerte ein Olivengehölz, endlich sah ich ihre Feuer nicht mehr, hörte nicht mehr ihr Gegröl. Der volle Mond war mein Begleiter. In einer Senke fiel ich zu Boden, schlief vielleicht, war vielleicht bewußtlos. Als ich erwachte, kämpfte genau über mir am nächtlichen Himmel ein dunkles Ungeheuer mit dem Mond, hatte sich gierig einen großen Happen herausgebissen und ging weiter gegen ihn vor. Der Schrecken sollte kein Ende sein.

Unsere Mondgöttin wurde vom Himmel getilgt, in jener Nacht, in der sie am prallsten, tröstlichsten, am mächtigsten gewesen war. Ein ungekanntes Entsetzen drang uns Kolchern bis in die Eingeweide und ließ uns den Untergang der Welt fürchten, ein tieferes Entsetzen als das, welches die Korinther spürten, die in dem furchterregenden Himmelsschauspiel nichts anderes sehen konnten als eine Strafe der Götter, die nicht sie verschuldet hatten, sondern all jene, die fremde Götter in ihre Stadt eingeschleppt und die eigenen dadurch erzürnt hatten. Und um nicht zitternd auf das Ungeheure warten zu müssen, das der Mondvernichtung folgen mußte, machten sich die jungen Männer aus dem Tempelbezirk auf, die Schuldigen für diesen maßlosen Götterzorn zu suchen und zu bestrafen.

Ich werde nicht mehr dazu kommen, den Akamas zu fragen, warum er sein Wissen von der bevorstehenden Mondfinsternis so strikt geheimgehalten hat, warum er seinen Astronomen, die eingeweiht waren, bei Todesstrafe verbot, ihren Landsleuten anzukündigen, was ihnen bevorstand. Hat Akamas bewirken wollen, was nun eingetreten ist? Kann ein Mensch so böse sein?

Leukon, der seine eigenen Berechnungen gemacht hatte, hielt das Schweigen nicht aus, er lief zu Oistros, wo er auch mich vermutete, er wollte uns Bescheid sagen, er wollte mit uns beraten, was zu tun sei. Er fand einen Oistros, der um das Leben von Arethusa kämpfte, die von der Pest befallen war. Er erfuhr, was sie auch mir verheimlicht hatten, der Alte, der Kreter, war zuerst krank geworden, Arethusa hatte darauf bestanden, ihn zu pflegen, bis er starb, im Innenhof haben sie ihn begraben, ohne ihn den Leichensuchkommandos auszuliefern, die die Stadt durchkämmen. Leukon, sagte mir Oistros, habe sich in Tränen über Arethusa geworfen, er habe sie gestreichelt, geküßt, er habe sie angefleht zu leben, für ihn zu leben, sie habe noch lächeln können, sie habe es ihm flüsternd versprochen, er hat es als Liebesversprechen genommen, sie verlor das Bewußtsein, er blieb bei ihr. Er ist auch jetzt bei ihr. Oistros ist in jener Nacht, als der Mond sich verfinsterte, losgelaufen, um mich zu suchen. Gegen Morgen fand er mich. Zu spät.

Die Zeit wird knapp.

Wie war das doch. Ich erhob mich aus dem kurzen Schlaf, wurde mir des Geräusches bewußt, das mich wohl aufgeweckt hatte, dem ich nun, angstvoll das Verschwinden des Mondes beobachtend, nachging. Ein vertrautes Geräusch, eine Musik, ein Rhythmus, die mir ins Blut gingen und mich zu der Gruppe der kolchischen Frauen führten, die auf der stadtabgewandten Seite des Berges an schwer zugänglicher Stelle unser Frühlingsfest feierten, das Fest der Demeter, das mit dem Lauf über glühende Kohlen beginnt. Ich sah vom Rand her zu, aus dem stachligen Gebüsch, das den Festplatz umgab. Sie faßten sich bei den Händen und liefen schnell, juchzend und lachend, über das glühende Holzkohlenbett. Ich sah Lyssa, Arinna. Mein Herz begann rasend zu schlagen, ich mußte dabeisein. Ich lief zu den Frauen, sie machten kein Aufhebens von mir, begrüßten mich, als hätten sie mich erwartet, ich streckte die Hände aus, zwei nahmen mich in die Mitte, ich sammelte mich, wie ich es so oft zu Hause geübt hatte, ich rief: Los!, wir liefen zusammen über das Glutbett, wieder erlebte ich das Glück der Unverletzlichkeit, ich schrie vor Freude wie sie, noch einmal!, rief ich, zwei andere faßten nach meinen Händen, wir liefen, und noch einmal, und noch einmal, meine Fußsohlen blieben makellos weiß. Im gleichen Augenblick gab uns der Himmel ein Zeichen: Der schmale Rand des Mondes tauchte wieder auf als silberne Sichel, die sich schnell verbreiterte. Wir jubelten. Also sollten wir doch nicht verloren sein. Ich nahm den Lorbeer, den sie mir zu kauen gaben, der uns in den Rausch versetzte, so daß wir Demeter jauchzend durch die Nacht fahren sahen, wir jauchzten mit ihr und begannen unseren Tanz, der immer wilder wurde, den Labyrinthtanz. Endlich waren wir ganz bei uns, endlich war ich ganz bei mir. Es war nicht mehr weit bis zum Morgen.

Dann hörten wir die Axt.

Oistros meint, er hätte uns nicht gefunden, wenn nicht auch er die Axt gehört hätte und ihr nachgegangen wäre, wobei das Unheilsgefühl, das ihn die ganze Zeit über von Korinth herauf begleitet hatte, immer stärker in ihm wurde. So ging es auch mir. Mit einem Schlag war der Rausch, war die Freude verflogen. Ich wollte nicht glauben, was ich hörte. In unserem heiligen Hain schlug jemand einen Baum. Der Unselige war des Todes. Ich wußte keinen Rat, außer daß ich laut den Gesang wieder an-

stimmte, den wir eben unterbrochen hatten, um die Axt-
schläge zu übertönen. Die Frauen zischten mich an, hielten
mir den Mund zu, ich sah ihre verzerrten Gesichter, sie
haßten mich, ich haßte sie. In einem Pulk jagten sie zum
Hain, rissen mich mit, an Oistros vorbei, der zurückwich,
den sie nicht wahrnahmen, er packte mich, hielt mich fest,
ich machte mich frei, sah nicht, aber hörte. Hörte das Geheul der Weiber, meiner Kolcherinnen, hörte den tieri-
schen Schrei eines Mannes, dessen Stimme ich kannte. Turon, das war Turon. Wußte, was geschah. Sie schnitten
ihm sein Geschlecht ab. Sie spießten es auf und trugen es
vor sich her, während sie, besinnungslos, immer weiter
heulend, sich der Stadt zu wälzten.

Jetzt herrscht Grabesstille im Viertel der Kolcher. Die
Strafaktion folgte am gleichen Morgen. Alle, die die Soldaten des Königs ergreifen konnten, wurden niedergemacht.
Ein Trost, daß einige Frauen und Mädchen sich zu Arinna
in die Berge flüchten konnten.

Aber was denke ich da. Ein Wort wie Trost. Mit vielen
anderen Worten ist es in mir ausgelöscht. Sprachlosigkeit
steht mir bevor. Turon, der noch einmal davongekom-
mene Turon, hat meinen Namen genannt. So mußte es
kommen. Es war mein Gesicht, das er als erstes sah, als er
zu sich kam. Gegen Oistros Flehen, mit ihm zu gehen, er
würde mich verstecken, ich solle den Mann liegenlassen,
dem sowieso nicht mehr zu helfen sei, gegen seinen wüten-
den Befehl näherte ich mich dem bewußtlosen Turon. Er
lag neben dem Baum unseres heiligen Hains, einer Pinie,
die er gefällt hatte, um die Kolcher dafür zu bestrafen, daß
sie das Unglück der Pest und nun auch noch das der Mondfinsternis über Korinth gebracht hatten, so sagte er aus.
Übrigens stirbt er nicht. In dem Beutel, den ich immer bei

mir trage, hatte ich blutstillende Pflanzenextrakte, die die Wundheilung befördern. Ich brachte Oistros dazu, aus zwei Stämmchen und einigem Astwerk eine Art Trage herzustellen und ihn, den Turon, mit mir zusammen in die Stadt hinunterzubringen. Das Morgengrauen ging in die Morgenröte über, wir kamen in eine belagerte Festung. Posten an allen Ecken, bewaffnete Trupps, die durch die Stadt zogen, in Richtung auf die Außenbezirke. Ein junger Offizier ließ sich überreden, zwei Soldaten mit der Bahre zum Palast zu schicken. Uns ließ er, merkwürdig genug, unbehelligt gehen. Wir trennten uns auf dem Marktplatz. Wir umarmten uns nicht. Oistros legte seine Hände schwer auf meine Schultern, er hat mich nicht noch einmal gebeten, mit ihm zu gehen. Er hatte verstanden, daß ich zu den Kindern mußte. Ich habe ihn seitdem nicht gesehen. Ich weiß nichts von Arethusa.

Unsere Hütte war von der Strafexpedition verschont, ich erfuhr, da hatte Jason seine Hand im Spiel. Lyssa war nicht bei den heulenden Frauen geblieben, sie war nach Hause gelaufen, zu den Kindern. Das vergeß ich ihr nicht. Sie blieb stumm.

Stumm wie ich, als sie kamen und mich festnahmen. Ich hätte die Weiber angeführt, die dem Turon Gewalt antaten. Ich erwiderte nichts. Alles lief nach einem Plan ab, auf den ich keinen Einfluß mehr hatte. Heute früh haben sie mich geholt. Zur Gerichtsverhandlung, sagten sie, und brachten mich hierher in diesen winzigen finsteren Raum.

Sie beraten immer noch. Ich höre Schritte den Gang herunterkommen. Müde, schlurfende Männerschritte. Sie kommen näher, ein alter Mann schleppt sich an meiner Tür vorbei, erblickt die Wachen, dann mich, bleibt stehen, lehnt sich an den Türrahmen, starrt mich an. Leukon. Ein

Gespenst, das einst Leukon war. Lange schweigen wir, bis ich flüstern kann: Arethusa? Er nickt, stößt sich vom Türrahmen ab, geht weiter, auf den Verhandlungssaal zu.

Dann ist wohl noch einmal Zeit vergangen. Jetzt werden die großen Türen des Saals aufgeschlagen. Jetzt bekommt der Bote Bescheid, der draußen auf seinen Auftritt gewartet hat. Jetzt geht er los, kommt näher. Jetzt packt mich die Sehnsucht nach all den Tagen, die sie mir rauben werden. Nach all den Sonnenaufgängen. Nach den Mahlzeiten mit den Kindern, nach den Umarmungen mit Oistros, nach den Liedern, die Lyssa singt. Nach allen einfachen Freuden, die die einzig dauerhaften sind. Jetzt habe ich sie alle hinter mir gelassen.

Der Bote ist da.

9

Jason: Gäb es andre Geburt, ganz ohne die Frau,
Wie glücklich wäre das Leben!

Euripides, ›Medea‹

Jason

Nichts von allem, was geschehen ist, habe ich gewollt. Aber was hätte ich tun können. Sie hat sich selber ins Verderben gestürzt. Die Rasende. Sie hat es mir zeigen wollen. Sie hat es darauf angelegt, mich zu zermalmen. Und wenn man sie in Stücke hacken würde: Dann blieben immer noch ihre Augen. Die hören nicht auf, mich anzustarren.

Vom ersten Augenblick an, da sie, geführt von dem Boten, den Saal betrat, hat sie nur nach mir gesucht, sie fand mich, zwang mich aufzustehen, allein durch ihren Blick. Als sollte auch mir das Urteil verkündet werden. Sie sah den Sprecher des Königs nicht an, nur mich. Sie trieb ihre Dreistigkeit auf den Höhepunkt, aber schließlich, was hatte sie zu verlieren.

Es hätte nicht den mindesten Unterschied gemacht, wenn ich im Rat großmäulig aufgetreten wäre und sie verteidigt hätte. Womit denn. Woraufhin denn. Daß sie nicht beteiligt gewesen sei an des armen Turon Schmach, wohl aber an seiner Rettung? Das hätte mir doch niemand abgenommen. Da hätten sie doch auch mich aus dem Saal gewiesen. Sowieso paßten sie auf, wie ich mich verhielt.

Götter. Diese wahnsinnigen Kolcherinnen. Dem Manne das Geschlecht abschneiden. Wir alle, wir Männer in Korinth, haben diesen Schmerz mitgefühlt. Ganz sicher wurde in den Nächten bis zur Bestrafung der Kolcherinnen und der Verurteilung der Medea kein Kind gezeugt, kein Mann war zeugungsfähig. Sie faßten ihre Frauen hart an, manche sollen sie geschlagen haben, und die Korintherinnen verbargen sich in den Häusern oder liefen mit gesenkten Köpfen durch die Straßen, als hätten sie, jede von ihnen, den armen Turon geschändet, sie umschmeicheln ihre Männer und begrüßen lauthals die strenge Bestrafung der Schuldigen und fordern für Medea die Höchststrafe, allen voran die, die ihr Dank schulden, wie üblich. Und wenn diese böse Zeit einmal doch vorübergehen sollte und wir alle wieder zur Ruhe kommen, dann werden die Männer von Korinth obenauf und die Frauen noch mehr geduckt sein, das ist das Ende vom Lied.

Es sollte mir recht sein, aber es ist mir nicht recht. Nichts freut mich mehr. Sie hat es mir vorausgesagt. Nicht auftrumpfend, nein, eher traurig, oder mitleidig, was unverschämt war. Sie hatte sich ja selbst jedes Mitgefühl verscherzt. Das sagte man mir im Rat, als ich versuchte, für sie um Milde zu bitten, wobei ich nicht versäumte, die Schwere ihrer Vergehen zu betonen, sie hätten mich sonst in der Luft zerrissen. Da rieb mir Akamas mein Verhältnis zu Medea unter die Nase, verständnisinnig, von Mann zu Mann, und ich stand da wie ein Ochse und zuckte mit keiner Wimper, als er, Akamas, durchblicken ließ, ihre Vorzüge lägen sicher in ihren Fähigkeiten als Frau, wer wolle es mir verargen, daß ich sie genutzt hätte. Aber dadurch sei ich natürlich voreingenommen. Ich hätte ihm ins Gesicht schlagen mögen. Statt dessen setzte ich mich und blickte kaum noch auf, geschweige, daß ich noch einmal das Wort ergriff. Es war ja alles abgesprochen. Sie redeten mit verteilten Rollen. Das Urteil stand fest. Ich weiß nicht, wozu sie dieses Theater noch brauchten. Sie stellten sich, als nähmen sie es ernst.

Warum bin ich dann noch einmal zu ihr gegangen. Warum habe ich mir das nicht erspart. Sie war dabei, ihr Bündel zusammenzupacken. Sie blickte kaum auf. Ach Jason, sagte sie. Soll ich dir auch noch ein gutes Gewissen verschaffen. Dabei wollte ich ihr nur erklären, wie alles gelaufen war und daß einer wie ich nichts machen konnte. Sie lachte auf. Einer wie du, sagte sie, dem man demnächst die Tochter des Königs zur Frau geben wird. Aber das sag ich dir, du, tu der Glauke nichts an. Die liebt dich nämlich, und sie ist zart, sehr zart. Eine Königin allerdings ist sie nicht, und du, mein lieber Jason, bist kein König für Korinth, und das ist das Beste, was ich von dir jetzt noch sagen kann. Freude wirst du nicht daran haben. Überhaupt wirst du nicht mehr viel Freude haben. Es ist so eingerichtet, daß nicht nur die, die Unrecht erdulden müssen, auch die, die Unrecht tun, ihres Lebens nicht froh werden. Überhaupt frage ich mich, ob die Lust, andere Leben zu zerstören, nicht daher kommt, daß man am eigenen Leben so wenig Lust und Freude hat.

So hat sie geredet, und ich wurde immer wütender. Da setzt man sich über Verbote hinweg und muß sich dann in eine Reihe stellen lassen mit den finsteren Figuren um Akamas, mit diesem in seiner Eitelkeit zügellosen Presbon, der als Zeuge in den Rat geladen war und sich vor Wichtigtuerei nicht zu bremsen wußte. Ich hatte ihn lange nicht gesehen und war abgestoßen von seinen zerlaufenen Gesichtszügen. Er war zu jeder Aussage gegen Medea bereit. Die Mitglieder des Rates konnten sich mit verächtlichem Behagen anhören, wie die Angeklagte von einem ihrer Landsleute mit unflätigen Ausdrücken beschimpft wurde. Diese Sprache ist im Palast nicht üblich, der törichte Kerl glaubte, er könne sich alles herausnehmen, man ließ ihn hemmungslos schwadronieren, und erst, als er sich darüber empören wollte, daß Medea die Korinther hinderte, alle Gefangenen im Tempel zu töten, schnitt Akamas ihm das Wort ab: Genug!, und Presbon klappte seinen törichten Mund zu. Er hat seine Schuldigkeit getan. Seine Zeit neigt sich dem Ende zu, er weiß es bloß noch nicht. Ich aber, ich habe in der Nähe des Königs gelernt, die Anzeichen zu deuten.

Anders Agameda. Sie ist klüger als Presbon. Das Königshaus von Korinth hätte sich keine überzeugendere Anklägerin gegen Medea wünschen können, gerade weil Agameda sich hütete, ein einziges Wort der Verdächtigung oder gar der Bezichtigung gegen die Todfeindin fallenzulassen. Wider Willen mußte ich sie bewundern. Sie brachte es fertig zu verbergen, daß sie Medea haßt, daß sie ihre Rivalin ist, solange sie in den Mauern dieser Stadt lebt. Ich begriff: Für beide Frauen ist in dieser Stadt kein Platz. Agameda hätte dafür gesprochen, Medea zu steinigen, wenn es nicht das Mittel der Verbannung gäbe, das oft genug dem Todesurteil gleichkommt, ich sah kalte Mordlust in ihren Augen, während sie, äußerlich beherrscht, ein Bild vom Leben und Treiben Medeas in Korinth entwarf, sehr ähnlich der Medea, die wir kennen, nur daß sie jede ihrer Handlungen und Unterlassungen so umdeutete, daß am Ende eine Person vor uns erstand, die seit langem planmäßig den Untergang des Königshauses von Korinth betrieb. Einmal mußte ich auflachen, als sie Medeas Sorge um Glauke ein besonders perfides Mittel nannte, an ihr Ziel zu gelangen. Da belehrten mich die Blicke der anderen, wie unpassend mein Lachen war. Glauke neben mir verzog keine Miene. Und das Lachen verging mir, als Agameda behauptete, auch mich habe Medea benutzt, um in den inneren Bereich des Königshauses einzudringen, indem sie mich im Glauben ließ, sie sei meine Frau und ich sei ihr Mann, während sie ihren Bedürfnissen längst anderweitig nachgegangen sei. Da saß ich wie ein begossener Pudel und mußte mir den Namen des Liebhabers von Medea anhören, denn Agameda hatte auf jede Nachfrage eine Antwort, und zu jeder Behauptung hielt sie die fälligen Namen und die Schilderung der genauen Umstände bereit. Sie ist ein Mordsweib, und mit meiner Abneigung gegen sie stieg meine Bewunderung. Oistros also. Ein Steinhauer. Götter.

Fast jedem im Rat hat Agameda leichthin eine Bemerkung hingeworfen, wie zufällig und nebenbei, einen Namen, einen Verdacht, der mit Medea zusammenhing, an dem er zu knabbern hatte und der ihn unfähig machte, irgend etwas zu ihren Gunsten auch nur zu denken, wie ich. Als man sie dann endlich hereinführte, empfand ich nur Wut. Vor allen Leuten war jetzt ich der betrogene Mann und nicht sie die verlassene Frau, wie es in der Ordnung gewesen wäre. Recht geschah ihr, der Hure.

Verbannung.

Ja. Es war nicht zu hoch gegriffen. Erbleichte sie? Ich habe sie nicht angesehen.

Und die Kinder?

Da regte sie sich, suchte wieder meine Augen, sollte sie aber nicht finden.

Ohne die Kinder, sagte Kreon.

Es war das einzige Mal, daß er selber sprach. Die Kinder des Jason würden in Korinth auf die ihnen geziemende Weise aufgezogen. Im Palast.

Da sah ich sie wanken, aber ehe die Wachen nach ihr greifen konnten, hatte sie sich gefangen.

Zum Erstaunen aller setzten Agameda und Glauke sich dafür ein, ihr die Kinder mitzugeben. Sie hatten unterschiedliche Gründe dafür. Obwohl, wenn ich es recht bedenke, einen Grund hatten sie beide gemeinsam: Sie wollten nicht, daß die Söhne der Medea irgendwann einmal als Anwärter auf den Thron von Korinth in Frage kamen. Wer sagt denn, daß ich dieser armen Glauke, wenn sie meine Frau sein wird, ein Kind machen werde. Es ist ja nicht gerade überschäumende Lust, die mich anfällt, wenn ich durch ihre unförmigen schwarzen Kleider ihre Knochen spüre. Ich sah den abschätzigen Blick der Agameda von mir zu Glauke wandern, ich sah, daß Glauke diesen Blick sah und ihn genauso verstand wie ich, und dann hörte ich sie reden, mit leiser Stimme zwar, aber daß sie überhaupt sprach in dieser Männerversammlung, war unerhört.

Man solle der Mutter die Kinder mitgeben, sagte sie. Man solle nicht unnötig grausam sein. Das war ihre Meinung, da bin ich sicher. Nur daß hinter dieser Meinung auch die Ungewißheit stand, ob sie selbst fähig sein werde, Korinth einen Erben zu schenken, und daß erst diese Unsicherheit ihr Mut machte, gegen die Grausamkeit zu sprechen. Ich begann zu ahnen, daß diese Glauke vielleicht doch keine so bequeme Frau für mich werden würde, wie ich es mir erhofft hatte, jedenfalls war ich abgelenkt und achtete nicht auf den Satz, mit dem Akamas in nachsichtigem Ton das Ansinnen der beiden Frauen abwehrte, so wie man Kindern zu ihrem Besten etwas abschlägt, um das sie unvernünftigerweise gebeten haben. Dann gab es einen kleinen, von wenigen beachteten Zwischenfall: Leukon, der spät gekommen war und sehr mitgenommen aussah, erhob sich von seinem Platz nahe der Tür und ging einfach hinaus. Es war unglaublich, was er sich da leistete, eine Mißachtung des Königs und aller Regeln. Anscheinend wollte niemand davon Notiz nehmen.

Medea wurde hinausgeführt. Der König und sein Gefolge verließen den Saal. Steife Nacken, verschlossene Gesichter. Ich folgte mit Glauke. Sie weinte. Als wir den Palasthof überquerten, zum Brunnen kamen, begann sie zu zucken, ihre Arme fuhren durch die Luft, sie brach neben mir zusammen, Schaum vor dem Mund. Agameda war sofort bei ihr, als hätte sie auf den Anfall gewartet. Mir barst der Schädel. Was steht mir da bevor.

Ich lief durch die Stadt, die Leute wichen mir aus, plötzlich stand ich vor dem kleinen Haus an der Mauer. Lyssa wollte mir den Einlaß verwehren, Medea sagte: Laß ihn. Sie fragte: Was willst du noch. Ihr Ton brachte mich auf. Ich wollte, daß sie ihr Unrecht einsah. Ich wollte, daß sie zugab: Ich konnte ihr nicht helfen. Sie schnürte ihr Bündel. Sie band sich ein Tuch um den Kopf. Sie sagte: Schade um dich, Jason.

Das war zuviel. Das mußte ich mir nicht bieten lassen. Ich konnte auch anders. Meiner Wut ihren Lauf lassen. Mich an sie heranmachen und sie gegen die Wand drängen. Ungestraft beleidigt man Jason nicht. Daß sie merkte, Jason kann einen schönen männlichen Zorn in sich wachsen lassen über die Listen der Weiber, er kann sehr stark werden, wenn er das weiche Fleisch, in das er sich verkrallt hat, nachgeben fühlt unter sich, wenn er in den Augen der Frau endlich etwas wie Überraschung sieht, ehe sie die Augen schließt und den Kopf abwendet und das Unvermeidliche geschehen läßt. Ja. Ich habe verstanden. So ist es gemeint. Wir sollen die Weiber nehmen. Wir sollen ihren Widerstand brechen. Nur so graben wir aus, was die Natur uns verliehen hat, die alles überspülende Lust.

Kein Blick, kein Wort mehr. Ich ging. Ich sah sie nicht wieder.

10

In gewisser Hinsicht gleicht der Planet der Argo:
ziellos, mit nebensächlichem Auftrag,
ausgesetzt den endlichen Abenteuern der Zeit.

Dietmar Kamper

Leukon

Da springen sie wieder hervor, meine Sternbilder. Wie ich
sie hasse, diese öden Wiederholungen. Wie mir das alles
zuwider ist. Ich kann es niemandem sagen, aber es ist auch
niemand mehr da, der es hören wollte. Einsam dasitzen
und Wein trinken und dem Lauf der Sterne zusehen. Und
die Bilder wieder und wieder sehen müssen, ob ich es will
oder nicht, die Stimmen hören müssen, die mich heimsu-
chen. Ich habe nicht gewußt, was ein Mensch erträgt. Nun
sitze ich da und muß mir sagen, auf dieser Fähigkeit, Uner-
trägliches zu ertragen und weiterzuleben, weiter zu tun,
was zu tun man gewöhnt ist, auf dieser unheimlichen
Fähigkeit beruht der Bestand des Menschengeschlechts.
Wenn ich das früher sagte, waren das Worte eines Zu-
schauenden, denn man ist Zuschauer, solange kein
Mensch einem so nahe ist, daß sein Unglück einem das
Herz zerreißt.

Den hellsten Stern am Himmel, der noch keinen Namen
hatte, habe ich Arethusa genannt, und jedesmal empfinde
ich den gleichen Schmerz, wenn er am westlichen Himmel
untergeht, wie jetzt. Zwischen all diesen entfernten Wel-
ten allein auf meiner Welt, die mir um so weniger gefällt, je
genauer ich sie kenne. Und verstehe, ich kann es nicht leugnen. So sehr ich mich prüfe. So wenig ich wahrhaben
möchte, was diese Prüfung ergibt, ich finde keine einzige
der Untaten der letzten Zeit, deren Zeuge ich war, bei der

ich nicht beide Seiten verstanden hätte. Nicht entschuldigt, das nicht, aber verstanden. Die Menschen in ihrer Verblendung. Wie ein Makel kommt mir dieser Zwang zu verstehen vor, den ich nicht loswerden kann und der mich absondert von den anderen. Medea wußte darum.

Wie könnte ich diesen letzten Blick vergessen, den sie mir zuwarf, als sie, zwischen zwei Wachen, die sie an den Armen packten, beim Südtor aus der Stadt hinausgestoßen wurde, nachdem man sie, wie bei einem Sündenbock üblich, durch die Straßen meiner Stadt Korinth geführt hatte, die von einer haßschäumenden, schreienden, speienden, fäusteschüttelnden Menge gesäumt waren. Und ich, wer würde mir das glauben, ich spürte etwas wie Neid auf diese Frau, die beschmutzt, besudelt, erschöpft mit einem Stoß der Wachen und einem Fluch des Oberpriesters aus der Stadt verbannt wurde. Neid, weil sie, das unschuldige Opfer, frei war von innerem Zwiespalt. Weil der Riß nicht durch sie ging, sondern zwischen ihr und jenen klaffte, die sie verleumdet, verurteilt hatten, die sie durch die Stadt trieben, beschimpften und bespuckten. So daß sie sich aus dem Schmutz, in den man sie gestoßen hatte, aufrichten konnte, ihre Arme gegen Korinth erheben und mit ihrer letzten Stimmkraft verkünden konnte, Korinth werde untergehen. Wir, die wir am Tor standen, hörten die Drohung und gingen schweigend zurück in die totenstille Stadt, die mir leer vorkam ohne die Frau. Doch zugleich mit der Last, die mir Medeas Schicksal auferlegte, spürte ich ein Erbarmen mit den Korinthern, diesen armseligen Mißgeleiteten, die ihre Angst vor der Pest und vor den bedrohlichen Himmelserscheinungen und vor dem Hunger und vor den Übergriffen des Palastes nicht anders loswerden konnten, als sie auf diese Frau abzuwälzen. Alles ist so durchsichtig, alles liegt so klar auf der Hand, es kann einen verrückt machen.

Die Pest ist im Abflauen, aus den reicheren Vierteln hat sie sich schon zurückgezogen, höchstens ein oder zwei Leichenkarren sehe ich von meinem Turm aus vor Einbruch der Dunkelheit noch in Richtung auf die Totenstadt ziehen. Jedermann kann nun sehen, daß wir den Willen der Götter richtig gedeutet haben, als wir die Zauberin aus der Stadt trieben. »Wir« sage ich, und erschrecke kaum. Wir Korinther. Wir Gerechten. Auch ich habe nichts getan, um sie zu retten. Ich bin ein Korinther. Besser, es zuzugeben, besser, die Trauer auszukosten und die Scham, die mich Nacht für Nacht auf diesen Turm treibt. Um zu denken, was mich um den Verstand bringen kann: Wenn Arethusa lebte, sie würde mich nicht mehr wollen. Auch mit dieser Wahrheit werde ich leben, ich weiß es. Und ich werde mich nicht hinunterstürzen, so oft ich mich auch an die Einfassung dieser Terrasse stelle und hinunterblicke. Immer habe ich die Unversehrtheit meines Körpers gehütet. So sind wir gemacht, das muß doch einen Sinn haben. Und manchmal frage ich mich, was gibt einem Menschen, was gab dieser Frau das Recht, uns vor Entscheidungen zu stellen, denen wir nicht gewachsen sind, die uns aber zerreißen und uns als Unterlegene, als Versagende, als Schuldige zurücklassen.

Warum kann ich nicht sein wie Oistros. Oistros arbeitet wie ein Besessener in seiner Arbeitshöhle, in der er sich verbarrikadiert hat, in die er niemanden hineinläßt. Er vernachlässigt sich, wäscht sich nicht, läßt seinen Bart und sein rotes Haar wuchern, ißt kaum, trinkt Wasser aus dem großen Krug, der bei Arethusa stand, und schlägt mit einer Wut, die mir angst macht, auf einen großen ungefügen

Steinblock ein. Er spricht nicht, stiert mich aus seinen vom Steinstaub und von Schlaflosigkeit entzündeten Augen an, ich weiß nicht, erkennt er mich überhaupt. Er hat sich zur Unkenntlichkeit verändert. Wenn er auf die Straße ginge, würden die Kinder schreiend vor ihm davonlaufen. Ich weiß nicht, was er aus seinem Stein herausholen will, das letzte Mal glaubte ich Andeutungen von Figuren in heftiger Umschlingung zu erkennen, Gliedmaßen in einer Art hoffnungslosem Kampf jeder gegen jeden, oder im Todeskampf. Man kann nicht fragen. Er arbeitet sich zu Tode. Das will er.

Oistros hat jedes Maß verloren, wie auch Medea jedes Maß verloren hatte. Maßlos ist sie am Ende gewesen, so, wie die Korinther sie brauchten, eine Furie. Wie sie, die bleichen verängstigten Knaben an der Hand, in den Tempel der Hera eindrang, die Priesterin beiseite schob, die ihr in den Weg trat; wie sie die Kinder zum Altar führte und zur Göttin aufschrie, was einer Drohung mehr ähnelte als einem Gebet: Sie solle diese Kinder schützen, da sie, die Mutter, es nicht mehr könne. Wie sie die Priesterinnen verpflichtete, sich der Kinder anzunehmen, was die aus Furcht und Mitleid versprachen. Wie sie dann mit den Kindern redete, versuchte, ihnen die Angst zu nehmen, sie umarmte und, ohne sich noch einmal umzusehen, den Tempel verließ, um sich sofort den wartenden Wachen auszuliefern. Wie sie die ganze Zeit, als man sie als Sündenbock durch die Stadt führte, einen schrecklichen Gesang ausstieß, der die Menschen am Straßenrand aufstachelte, ihn zu ersticken. Sie muß es darauf angelegt haben, getötet zu werden, aber die Wachen hatten den Befehl, sie lebend aus der Stadt zu bringen.

Später, nachdem das Entsetzliche geschehen war, haben

sie Kommandos losgeschickt, Medea aufzufinden, sie haben nach Lyssa gesucht, die auch verschwunden war, sie haben die wenigen überlebenden Kolcher hochnotpeinlich verhört, um den Aufenthaltsort der beiden aus ihnen herauszuprügeln. Die waren und bleiben wie vom Erdboden verschluckt, obwohl man jenseits der Stadtmauern tagelang gehen muß, ehe man einen Unterschlupf findet. Nun fahndet man nach Helfershelfern der beiden, die sie womöglich zu Pferde weggebracht haben könnten, nur um überhaupt etwas zu tun und um das Eingeständnis herumzukommen, daß man ohnmächtig ist und sich nicht rächen kann für den Tod der Tochter des Königs. Und weil man die Legenden im Keim ersticken will, die im abergläubischen Volk entstehen: daß die Göttin selbst, Artemis, die Flüchtenden in ihrem Schlangenwagen der Erde enthoben und sie in sichere Gefilde entführt habe.

Die arme Glauke. Es war der Tag von Medeas Austreibung. Ich hockte wie betäubt in einem Gang des Palastes. Auf das Geschrei der Frauen, das aus dem Palasthof drang, achtete ich nicht, Verachtung für alles, was mit diesem Königshaus zu tun hatte, war in mir. Aufmerksam wurde ich erst, als ich Merope, die alte Königin, auf ihre Dienerinnen gestützt sich über den Palasthof schleppen sah, auf den Brunnen zu, um den der Pulk der schreienden Weiber sich zusammengezogen hatte. Dann sah ich den Pulk sich zerteilen, sah drei Knechte an Stricken eine seltsame Last aus dem Brunnen ziehen, ganz in Weiß, Glauke.

Man legte die leblose Gestalt der Königin vor die Füße, ich sah sie niederknien und sich den Kopf der Tochter in den Schoß legen. So verharrte sie, lange, und nach und nach breitete sich eine Stille aus, wie ich sie dort noch nie gehört habe. Mir war, als berge dieses Schweigen etwas wie Trauer und Gerechtigkeit in sich für alle die Opfer, die die verblendeten Menschen auf ihrem Irrgang hinter sich lassen. In dieser Stille sah ich Jason über den Hof wanken, als habe man ihm einen Schlag vor den Kopf gegeben. Niemand blickte sich nach ihm um. Jetzt soll er Tag und Nacht unter dem halb verfaulten Rumpf seines Schiffes liegen, das sie dicht am Ufer aufgebockt haben, und Telamon, sein alter Gefährte, soll ihn recht und schlecht mit Speise und Trank versorgen. Manchmal, in der Tiefe der Nacht, denke ich, daß auch er nicht schlafen kann, daß auch seine Augen den Himmel absuchen und seine und meine Blicke sich zufällig treffen könnten am Sternbild des Orion, der diesen Monat den Zenit beherrscht. Gegen Jason kann ich keinen Groll empfinden. Er ist zu schwach gewesen für einen Gegner wie Akamas.

Der beherrscht jetzt das Feld. Er war es, der die Verlautbarung über den Tod der Glauke herausgab, an die sich jedermann halten muß, sonst ist er des Todes: Medea habe Glauke ein vergiftetes Kleid geschickt, ein grausiges Abschiedsgeschenk, das ihr, der armen Glauke, als sie es überzog, die Haut verbrannt habe, so daß sie sich, besinnungslos vor Schmerz, Kühlung suchend in den Brunnen gestürzt habe.

Nun ist ja dieser Palast ein Ort mit hundert Ohren und hundert Mündern, und alle flüstern etwas anderes. Der Mund der in ein tiefes Verlies gesperrten und sorgsam bewachten Magd der armen Glauke flüstert: Dieses weiße Kleid, das Medea beim Artemis-Fest getragen habe, habe sie der Glauke kurz vor der Gerichtsverhandlung als Geschenk übergeben und ihr gesagt, dies solle ihr Hochzeitskleid sein, und sie wünsche ihr Glück, und Glauke habe sich unter Tränen für dieses Geschenk bedankt. Dann aber, als Glauke aus dem Gerichtssaal kam, nachdem das Urteil über Medea verkündet war und deren Austreibung immer näher rückte, sei sie zusehends unruhiger geworden. Sie sei durch den Palast geirrt und mußte mehrmals in entlegenen Winkeln, in die sie sich verkrochen hatte, aufgestöbert und zurückgebracht werden. Den Jason habe sie um keinen Preis sehen wollen, und vor Kreon sei sie mit Anzeichen von Entsetzen zurückgewichen. Sie habe nur noch mit sich selbst gesprochen, in einer hastigen unverständlichen Manier. Ganz fahrig sei sie gewesen, man habe nicht wissen können, was sie noch wahrnahm. Das Essen habe sie verweigert, als ekle sie sich davor. Niemand habe ihr von den Vorgängen außerhalb des Palastes erzählt, das war streng verboten, aber sie habe eine Witterung dafür gehabt, und an dem Tag, als man Medea verstieß, sei sie händeringend und weinend in ihrem Zimmer auf und ab gelaufen, habe sich schließlich das weiße Hochzeitskleid bringen lassen und es gegen den Einspruch der Magd übergezogen. Dann sei sie auf einmal ganz ruhig geworden, als wisse sie nun, was zu tun sei, und habe der Magd in vernünftigen Worten gesagt, sie wolle im Palasthof etwas Luft schöpfen, worüber alle, die zu ihrer Bewachung abgestellt waren, nur froh sein konnten. Sie ging also auf den Hof, hinter ihr die Magd und einige Wachen, die führte sie listig in immer enger werdenden Kreisen bis in die Nähe des Brunnens. Zwei schnelle Schritte, und sie stand auf seinem Rand. Dann einen weiteren Schritt ins Leere hinein, in die Tiefe. Sie soll keinen Laut von sich gegeben haben.

Den König hat seitdem niemand gesehen, er soll im Innersten seiner Gemächer hocken und nur Akamas zu sich lassen. Er ist ein toter Mann. Hinter seinem Rücken beginnen die Kämpfe um seine Nachfolge. Es läßt mich kalt. Ich bin auch nicht neugierig darauf, was Akamas noch anstellen wird, um seinen Einfluß zu behaupten. Natürlich muß er versuchen, die Erinnerung auszulöschen. Presbon und Agameda, seine Helfershelfer, hat er aus der Stadt schaffen lassen. Den Eingang zur Grabhöhle der Iphinoe, mit deren Tod alles anfing, hat er zumauern lassen. Merope, die alte Königin, hat Hausarrest. Wer irgend Zeuge vom Wirken des Akamas gewesen ist, muß um sein Leben fürchten. Auch ich. An dem Tag, als die arme Glauke zu Tode kam, hat er es mich wissen lassen. An ihrer Bahre standen wir uns gegenüber. Irgend etwas in meinem Blick machte ihn schaudern. Dieser Schauder ist es, der mich schützt, und meine Gleichgültigkeit um mein Schicksal. Mich schützt, daß ich die Menschen, auch ihn, bis auf den Grund durchschaue und eben deshalb, so merkwürdig es klingen mag, ungefährlich bin. Da ich nicht glaube, daß ich oder irgend jemand sie ändern kann, werde ich in das mörderische Getriebe, das sie in Gang halten, nicht eingreifen. Nein, ich sitze hier und trinke den Wein, den ich mit Medea getrunken habe, und verschütte von jedem Glas ein paar Tropfen zum Gedenken an die Toten. Mir genügt es, den Sternen auf ihren berechenbaren Bahnen zuzusehen und zu warten, daß die Umklammerung des Schmerzes sich allmählich lockert. So kommt der Morgen, die Stadt erwacht mit immer den gleichen Regungen, mit immer den gleichen Lauten, so wird es bleiben, mag geschehen, was will. Die Menschen in ihren engen Häusern werden zum Alltag zurückkehren, in der Nacht haben manche ein Kind gezeugt, das soll so sein, dazu sind sie da.

Aber da ist doch etwas anders als sonst. Eine Menschenmenge kommt aus Richtung der Tempelstadt. Ich trete an die Brüstung. Da versammeln sie sich schon auf dem Platz, eine Menge in Siegesstimmung. Was haben die denn zu feiern. Ein Summen geht von ihnen aus, wie ich es von einem angreifenden Bienenschwarm kenne. Meine Hände werden feucht, etwas treibt mich hinunter zu diesen Leuten. Die Unruhe ist noch in ihnen, sie können nicht auseinandergehen, sie bleiben zusammen und rühmen sich dessen, was sie getan haben. Die Menge wogt hin und her, ich laufe von einer Gruppe zur anderen, ich will hören, wovon sie reden, doch ich wage nicht, sie zu verstehen. Es mußte sein, höre ich sie immer wieder beteuern. Seit langem schon sei es ihnen klar gewesen, daß sie dies nicht länger hätten dulden können. Da niemand es tun wollte, hätten eben sie es tun müssen.

Durch den Schleier, der sich über meine Augen legt, sehe ich den neuen Vertrauten des Akamas herankommen, einen verschlagenen rohen Burschen, durch das Dröhnen des Herzschlags in meinen Ohren höre ich ihn fragen, was los sei, doch so, als wisse er die Antwort. Die Menge verstummt, dann rufen mehrere: Wir haben es getan. Sie sind hin. Wer, fragt der Bursche. Die Kinder! ist die Antwort. Ihre verfluchten Kinder. Wir haben Korinth von dieser Seuche befreit. Und wie? fragt der Bursche mit Verschwörermiene. Gesteinigt! brüllen viele. Wie sie es verdienten.

Die Sonne geht auf. Wie die Türme meiner Stadt im Morgenglanz schimmern.

11

Die Männer, die von dem Geheimnis
ausgeschlossen sind, Leben hervorzubringen,
finden im Tod einen Ort, der, da er das Leben nimmt,
als mächtiger angesehen wird als dieses selbst.

Adriana Cavarero, ›Platon zum Trotz‹

Medea

Tot. Sie haben sie ermordet. Gesteinigt, sagt Arinna. Und ich habe gedacht, ihre Rachsucht vergeht, wenn ich gehe. Ich habe sie nicht gekannt.

Mich hat sie nicht erkannt, doch Lyssa, ihre Mutter, erkannte sie an einem dunklen Fleck in ihrer Armbeuge. Wie sie erschrak. Das Leben hier hat uns verändert. Die Höhle. Die gnadenlose Sonne im Sommer, die Kälte im Winter. Die Nahrung aus Flechten, Käfern, kleinem Getier, Ameisen. Wir sind die Schatten unserer früheren Jahre.

Wir Verblendeten. Wir haben von den Kindern als von Lebenden gesprochen. Haben sie aufwachsen sehen, Jahr um Jahr. Unsere Rächer sollten sie sein. Und ich war noch nicht aus dem Weichbild ihrer Stadt, da waren sie schon tot.

Welcher Unhold hat Arinna hergeführt. Wollen die Götter mich lehren, wieder an sie zu glauben. Da lach ich nur. Jetzt bin ich ihnen über. Wo sie mich auch abtasten mit ihren grausamen Organen, sie finden keine Spur von Hoffnung, keine Spur von Furcht an mir. Nichts nichts. Die Liebe ist zerschlagen, auch der Schmerz hört auf. Ich bin frei. Wunschlos horch ich auf die Leere, die mich ganz erfüllt.

Und die Korinther sollen immer noch nicht fertig sein mit mir. Was reden sie. Ich, Medea, hätte meine Kinder umgebracht. Ich, Medea, hätte mich an dem ungetreuen

Jason rächen wollen. Wer soll das glauben, fragte ich. Arinna sagte: Alle. Auch Jason? Der hat nichts mehr zu sagen. Aber die Kolcher? Die sind alle tot, bis auf die Frauen in den Bergen, und die sind verwildert.

Arinna sagt, im siebten Jahre nach dem Tod der Kinder haben die Korinther sieben Knaben und sieben Mädchen aus edlen Familien ausgewählt. Haben ihnen die Köpfe geschoren. Haben sie in den Heratempel geschickt, wo sie ein Jahr verweilen müssen, meiner toten Kinder zu gedenken. Und dies von jetzt an alle sieben Jahre.

So ist das. Darauf läuft es hinaus. Sie sorgen dafür, daß auch die Späteren mich Kindsmörderin nennen sollen. Aber was ist denen das gegen die Greuel, auf welche sie zurückblicken werden. Denn wir sind unbelehrbar.

Was bleibt mir. Sie verfluchen. Fluch über euch alle. Fluch besonders über euch: Akamas. Kreon. Agameda. Presbon. Ein gräßliches Leben komme über euch und ein elender Tod. Euer Geheul soll zum Himmel aufsteigen und soll ihn nicht rühren. Ich, Medea, verfluche euch.

Wohin mit mir. Ist eine Welt zu denken, eine Zeit, in die ich passen würde. Niemand da, den ich fragen könnte. Das ist die Antwort.

Zu Christa Wolfs Roman

Medea Stimmen

sind zwei Grafik-Mappen erschienen:

Medea altera
– Grafiken von 9 Künstlerinnen und Künstlern

Günther Uecker, *Medea*
– 12 Radierungen

Auskünfte direkt beim Verlag

Gerhard Wolf **Janus press**

Amalienpark 7, 13187 Berlin

Christa Wolf im dtv

»Grelle Töne sind Christa Wolfs Sache nie gewesen;
nicht als Autorin, nicht als Zeitgenossin hat sie je zur
Lautstärke geneigt, und doch hat sie nie Zweifel an
ihrer Haltung gelassen.«
Heinrich Böll

Der geteilte Himmel
Erzählung
dtv 915
Liebesgeschichte zur Zeit
des Mauerbaus in Berlin.
Die einzige gültige Ausein-
andersetzung mit den
Jahren der deutschen
Teilung.

Kassandra
Erzählung
dtv 11870
Auf den Spuren der älte-
sten Tochter des Königs
Priamos von Troia. »Die
Geschichte einer weibli-
chen Ich-Findung.«
(Therese Hörnigk)

**Voraussetzungen einer
Erzählung: Kassandra**
Frankfurter Poetik-
Vorlesungen
dtv 11871
Bericht über eine Griechen-
landreise und über »weibli-
ches« Schreiben.

Auf dem Weg nach Tabou
Texte 1990–1994
dtv 12181

Medea. Stimmen
Roman
dtv 12444 und
dtv großdruck 25157
Der Mythos der Medea,
Tochter des Königs von
Kolchis – neu erzählt. »Der
Roman hat Spannungs-
elemente eines modernen
Polit- und Psychokrimis.«
(Thomas Anz in der
›Süddeutschen Zeitung‹)

Hierzulande Andernorts
Erzählungen und andere
Texte 1994–1998
dtv 12854

**Die Dimension des
Autors**
Essays und Aufsätze,
Reden und Gespräche
1959–1985
SL 61891

Marianne Hochgeschurz:
**Christa Wolfs Medea
Voraussetzungen zu
einem Text**
dtv 12826

Heinrich Böll im dtv

»Man kann eine Grenze nur erkennen, wenn man sie
zu überschreiten versucht.«
Heinrich Böll

Heinrich Böll im dtv